EU FICO LOKO
AS DESAVENTURAS DE UM ADOLESCENTE NADA CONVENCIONAL

CHRISTIAN FIGUEIREDO DE CALDAS

Novas Páginas

© 2015 Editora Novo Conceito
Todos os direitos reservados.

Nenhuma parte desta obra poderá ser reproduzida, copiada, transcrita ou mesmo transmitida por meios eletrônicos ou gravações, assim como traduzida, sem a permissão, por escrito, do autor. Os infratores serão punidos pela Lei nº 9.610/98

13ª Impressão — 2016
Revisado e atualizado em dezembro de 2015
Impressão e Acabamento RR Donnelley 031116

Equipe Novo Conceito
Fotos da capa: Nicole Fialdini
Fotos do interior: acervo pessoal do autor

Dados Internacionais de Catalogação na Publicação (CIP)
(Câmara Brasileira do Livro, SP, Brasil)

Caldas, Christian Figueiredo de
   Eu fico loko / Christian Figueiredo de Caldas. -- Ribeirão Preto, SP : Novo Conceito Editora, 2015.

   ISBN 978-85-8163-681-8

   1. Crônicas brasileiras I. Título.

14-13123   CDD-869.93

Índice para catálogo sistemático:
1. Crônicas : Literatura brasileira 869.93

Novas Páginas
Rua Dr. Hugo Fortes, 1885
Parque Industrial Lagoinha
14095-260 – Ribeirão Preto – SP
www.grupoeditorialnovoconceito.com.br

EU VOU COMEÇAR ESTE LIVRO FALANDO APENAS UMA COISA:

E aí, meus lokões e lokonas deste Brasil? Tudo bem com vocês?

Para quem não me conhece, eu fui o típico adolescente que parece **personagem fictício de filme americano.** Não aqueles que se dão bem sempre, **SÃO FORTES**, NAMORAM A LÍDER DE TORCIDA e **jogam no time de basquete da escola**. Eu estava mais para o que usa óculos fundo de garrafa, toma porrada e não pega ninguém. Tudo bem que **nunca usei óculos** nem tomei porrada, mas não vamos nem comentar sobre pegar alguém.

Como não sou **personagem de filme americano**, vamos deixar minha imagem um pouco menos estereotipada e me definir como um adolescente que vivia mais no seu próprio mundo, com suas próprias ideias e conclusões sobre tudo. Totalmente FORA DO PADRÃO. Por essas simples características minhas, podemos dizer que tive uma adolescência nada convencional.

COM A PALAVRA A LOKONA, MINHA MÃE!

MANHÃ DE DOMINGO. VESTI NELE UM CONJUNTO DE MARINHEIRINHO DESSES LISTRADOS COM UMA GOLA QUADRADA ATRÁS. O MAIS BACANA DO TRAJE ERA O CHAPÉU VERMELHO COM UMA ÂNCORA GIGANTE. ERA SEU PRIMEIRO CHAPÉU. DELICADAMENTE, TENTEI COLOCAR, DEI UMA FORÇADA, MAS LOGO DESISTI. FRUSTRAÇÃO. A IRMÃ DE SETE ANOS VEIO CORRENDO COM UM BONÉ DELA, TENTOU ENFIAR NELE, MAS NÃO DEU CERTO. ELA OLHOU PRA MIM ARREGALANDO OS OLHOS. ETA CABEÇÃO!

"ESSE MENINO AINDA VAI SER PREFEITO DA CIDADE!"

Como boa mãe coruja, já fui me orgulhando da inteligência "bem acima da média" que uma cabeça tão grande devia simbolizar. Descemos a avenida principal da cidade pequena onde morávamos na época, Chris sentadinho no carrinho, mas a cabeça de geminiano já a mil, os olhos se movendo bem rápido, escaneando a rua pra ver a quem seduzir com aquele sorriso enorme iluminando a cara redonda. Acenava pra todos, feito político tentando angariar voto em véspera de eleição. Em minutos o carrinho estava rodeado de amigos (dele!). Eu, o pai e a irmã sempre fomos meio antissociais, daqueles que atravessam a rua pra não ter que cumprimentar, e estranhávamos bastante esse ser tão diferente entre nós. Do outro lado da rua, uma pessoa gritou pra ele **"Oi, Chris"**, e pra nós **"Esse menino ainda vai ser prefeito da cidade".** O Chris tinha um ano e meio.

O Chris aterrissou neste mundo com uma aura de alegria e uma espécie de sabedoria não muito comum em criança. Um dia, no meio de uma discussão, dessas que adulto tem na frente de criança e depois se sente uma porcaria, ele me cutucou e disse:

— MÃE, LELAÇA, FINZE QUE CONCORDA QUE É MAIS FÁCIL.

Ele tinha uns três anos.

Desde que o Chris apareceu, meu senso de humor ficou mais aguçado e as coisas da vida perderam o peso e a realidade que eu dava a elas. Era como se ele tivesse feito eu me lembrar de algo. Quando ele tinha uns sete anos, uma amiga que tinha acabado de chegar da Índia, onde vivia com um mestre espiritual, um guru, arregalou os olhos quando o viu: "Nossa, eu sinto uma coisa diferente perto desse menino. Acho que só senti isso com o meu guru".

O CHRIS NUNCA LEVOU NADA A SÉRIO. **NUNCA VI ELE CHORANDO.** Bom, talvez umas duas vezes. O que não quer dizer que ele não seja responsável. **Sempre fez tudo direitinho.** Minha única tristeza com ele foi a do chapeuzinho de marinheiro. Tudo deste mundo vira piada pra esse cabeção *sano*. Sempre achei que esse lugar chamado mundo tava de cabeça pra baixo, por isso sempre estimulei o Chris a ser quem ele é, brilhar a luz dele, porque acho que só dá pra se lembrar de quem você realmente é brilhando a tua luz e servindo. Fico feliz porque vejo o Chris brilhando essa luz e servindo. Servindo ao fazer as pessoas rirem. Acho que o mundo começou e vai terminar numa grande gargalhada. Os lokos é que são *sanos*. Desculpa, Chris, interferência de mãe. Teu canal deveria ser "Eu fico *sano*" em vez de "Eu fico loko". Eternamente grata por você existir na minha vida.

Te amo.
Mãe.

1

EU ACHO QUE A VIDA DE UM ADOLESCENTE NUNCA É ALGO NORMAL, E, QUANTO MAIS NORMAL FOR, MAIS LOUCA ELA É! RACIOCÍNIO COMPLEXO? SIM. MEUS PAIS NUNCA ESTIVERAM DENTRO DE UM PADRÃO DE PAIS QUE EU VIA AOS MEUS TREZE ANOS. EU LEMBRO ATÉ HOJE DA MÃE DO MEU MELHOR AMIGO FALANDO TODA VEZ ANTES DE SAIRMOS À NOITE:

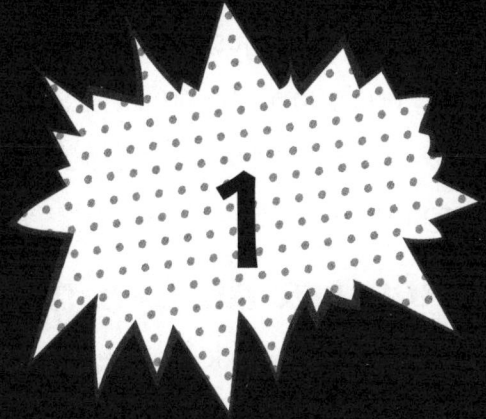

– Filho, se eu descobrir que você bebeu... Ai, ai, ai!

JÁ EU, QUANDO IA SAIR DE CASA, MINHA MÃE FALAVA:

– Você?! Sair?! Nossa, divirta-se!!!

Eu nunca fui muito de sair, justamente por ter pais tão liberais se comparados aos outros. Se eu saísse de casa e voltasse cinco dias depois, eles não abririam a boca pra perguntar o que eu fiz, só perguntariam: "Se divertiu?".

Minha mãe era do tipo que deixava tudo, por isso nunca tive vontade de fazer o que os meus amigos faziam escondido dos pais – justamente porque não precisava fazer escondido.

Acho que, no momento em que os pais proíbem algo, você vai com certeza querer fazer aquela coisa. Por quê? Por ser proibida! **O PROIBIDO É SEMPRE MAIS GOSTOSO,** vai dizer que não?

Então, enquanto meus amigos queriam sair pra beber escondido numa sexta-feira à noite, eu queria mais era assistir um bom filme, com um balde de pipoca e um belo copo de refrigerante.

Eu não diria que na adolescência nossos pais proíbem as coisas porque eles são chatos e não querem que a gente se divirta. Eles proíbem porque têm medo do que a gente faça por aí. Afinal, pai é pai, né? Porém, eu percebia que os pais que mais proibiam eram os que tinham os filhos mais loucos da turma!

Tinha um menino na minha classe que levou uma garrafa de vodca pra escola pra bebermos depois da aula. Sim, uma garrafa, inteira, cheia, na mochila!

QUANDO ELE MOSTROU A GARRAFA PRA NÓS, HOUVE UMA EXCITAÇÃO COLETIVA, parece que a vodca gerou um efeito alucinógeno nos meus amigos. Só de ver a bebida, todos ficaram bobos, felizes e loucos pra dar um gole. Logo depois de mostrar a garrafa, ele disse:

— Aê, se liga aqui! Peguei lá em casa, é do meu pai! Bora chapar depois da aula!

A reação de todos foi algo como: **"Nossa, como somos malandros, vamos ficar bêbados depois da aula!"**.

Já a minha reação foi uma pergunta que o garoto nem respondeu:

– Cara, você pegou do seu pai essa garrafa? E se ele descobrir?

Vamos dizer que eu era cagão. Meu maior medo era me dar mal por estar no meio de algo que alguém fez e eu levar a culpa junto por querer ser legal e não contrariar a turma.

Meus pais eram demais! Mesmo assim, eu fazia tudo pensando neles. Era como uma troca: eles eram liberais e deixavam tudo, mas eu não queria decepcioná-los. E só de pensar que eu poderia me ferrar muito por estar num grupinho que estaria bebendo vodca na saída da escola... Acho que isso decepcionaria muito eles.

Enfim, depois que aquela vodca apareceu, só por ter visto a garrafa, eu já estava incluído no rolê pós-escola pra beber aquilo, mas querem saber de uma coisa?

EU ODEIO BEBIDA!

Na adolescência é assim, a gente faz muitas coisas não porque gosta, mas pra ser aceito. Se eu fizesse só o que gostava na adolescência, eu provavelmente seria o garoto mais isolado e odiado da turma. Sempre tentei dosar o que eu queria com um pouquinho (muito) do que eu não queria só pra ser aceito.

Voltando pra garrafa de vodca, o dia estava indo bem... até chegarmos na última aula do dia: Educação Física.

Cá entre nós, uma aula que eu odiava. Nunca fui muito esportista, odiava correr e era horrível em todos os esportes. O que me restava? Ser xingado por todos por não saber jogar nada nas aulas.

Eu estava cagando de medo. Algo me dizia que ia dar merda com aquela garrafa de vodca. Primeiro, era uma garrafa inteira na mochila de um aluno; segundo, ele queria beber dentro da escola antes de irmos embora. Aí que está a babaquice: por que na escola? Não poderíamos ir pra um lugar bem longe e isolado de qualquer problema? Não! Na adolescência, sem adrenalina não tem graça.

Tinha um corredorzinho na escola onde deixavam o lixo. Ninguém ia lá, na verdade. Só quem queria aprontar mesmo. Então. Era lá que estavam combinando beber a vodca.

Meus amigos corriam para um lado, corriam para o outro. Estávamos jogando futebol, um esporte em que eu tinha pós-graduação em ser ruim.

O momento da minha premonição, de que algo ia dar errado, estava pra acontecer. Foi quando um menino da minha classe deu um chute tão forte na bola que o objetivo dele não era acertar o gol, era acertar a Muralha da China!

Sempre tem um sem-noção que estraga o jogo, não é mesmo? Vai dar uma de engraçadinho, chuta a bola com força e o final da história sempre é: ou a bola machuca alguém, ou ela desaparece, ou vai tão longe que a turma tem que tirar no par ou ímpar pra ver quem vai buscar. **NO CASO DAQUELE DIA, A BOLA ACERTOU A MOCHILA DO MENINO QUE HAVIA TRAZIDO A VODCA.** Minha reação foi olhar todas as quarenta mochilas jogadas no canto da quadra e pensar: *"ISSO NÃO É DE DEUS, CARA!"*.

Naquele momento, eu só queria saber de uma coisa: será que a garrafa tinha quebrado? O que obviamente tinha acontecido. Logo fui buscar a bola e checar as condições da mochila.

Não deu outra. A mochila estava começando a ficar encharcada, o cheiro de bebida já estava dominando o canto da quadra e, o pior, um caco de vidro atravessou a mochila e furou a bola. Eu, por ser o mais preocupado, era o que tinha mais tendência a se dar mal. Me pergunto hoje em dia: "Por que eu fui buscar a bola?".

Minha opção naquele momento poderia ter sido não ir buscar a maldita bola e deixar a coisa acontecer. Porém, pelo fato de eu ter ido, tinha que explicar para o professor, que, cá entre nós, era rígido e bravo, MUITO BRAVO. E já estava nervoso.

EIS A QUESTÃO: COMO EXPLICAR QUE A BOLA ESTAVA FURADA, CHEIRANDO A VODCA E QUE O CHÃO ESTAVA MOLHADO E COM AQUELE CHEIRO DE FESTA DE FORMATURA? Minha sorte foi o sinal. Sim, o sinal. Com certeza a sorte mais clichê do mundo, parecendo cena de filme. Foi o tempo de analisar a situação e pensar "Fodeu" que o sinal da saída tocou.

Meus amigos vieram correndo, juntaram os quatro que sabiam da garrafa, logo pegamos a mochila, escondemos a bola e entramos no banheiro da quadra.

A vodca escorria sem parar por baixo da mochila. Era como uma grande peneira coando um suco. Eu não sabia o que estava fazendo ali acobertando meus amigos que queriam ficar bêbados na escola. Como é que eu fui parar naquela situação?!

Acho que, quando o adolescente tá ferrado, ele dá risada. Já, perceberam? Meus amigos começaram a ter um ataque de riso, eu fui na onda e dei risada da situação também. Cinco idiotas secando vodca no banheiro da escola, rindo e falando alto. Quer chamar mais a atenção que isso? Não dá, né?

Foi exatamente cinco minutos depois. A porta do banheiro abriu e só ouvimos uma voz bem alta:
— O QUE ESTÁ ACONTECENDO AQUI? QUE CHEIRO É ESSE?!

Todos gelaram, ninguém se mexeu e, claro, todo mundo ficou mudo. Acho que, quando estamos contra a parede e sabemos que estamos errados, nossa primeira atitude é calar a boca, fazer cara de desespero e abaixar a cabeça – declarando que somos culpados –, não é mesmo?

O professor olhou na cara de cada um de nós, o momento de tensão prevaleceu e ninguém falava nada. Na minha cabeça só vinha uma palavra: "Fodeu".

Acho que, se eu já não tinha cagado nas calças, eu estava quase. Odeio momentos de tensão por isso: não sei o que vai acontecer, fico com medo e me dá vontade de cagar, literalmente.

Depois de encarar cada um de nós e criar um dos maiores momentos de tensão da minha vida, o professor olhou pra um dos meus amigos, que por coincidência era o dono da mochila e consequentemente da vodca, e disse:

— Se qualquer coisa do tipo se repetir, vai ter consequência. Limpem essa bagunça e vão pra casa!

Quando ouvi o **"VÃO PRA CASA!"**, simplesmente entrei no paraíso. Era isso que eu queria ouvir o dia todo, **"VAI PRA CASA, CHRISTIAN"**.

Eu não queria pagar de malandro e beber aquela vodca depois da aula, não queria fazer aula de Educação Física e, olha só, eu também não queria ter ido pra aula. Esse "vai pra casa" poderia ter sido mais cedo; iria me poupar de um dia inteiro de tensão sabendo que algo daria errado com aquela vodca.

OU EU SOU MUITO PÉ-FRIO OU ENTÃO AS COISAS QUE FAZEMOS ESCONDIDO GERAM CARMA INSTANTÂNEO. É INCRÍVEL: VOCÊ FAZ ESCONDIDO E ALGUÉM SEMPRE DESCOBRE. JÁ PERCEBEU ISSO?

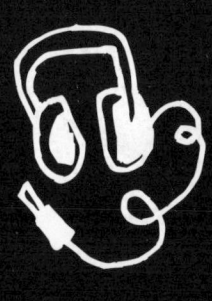

2

POR EU TER ESSE COMPORTAMENTO ISOLADO PERANTE A MINHA TURMA DE AMIGOS, DE NÃO SAIR DE FINAL DE SEMANA, OU MELHOR, DE NÃO QUERER SAIR, ACABEI SENDO O CLÁSSICO ADOLESCENTE ATRASADO. TODOS OS MEUS AMIGOS INDO NAS MATINÊS BEIJAR VINTE GAROTAS E EU EM CASA ACHANDO QUE OS FILMES ROMÂNTICOS DESCREVIAM COMO ERA BEIJAR UMA GAROTA, COMO ERA O RELACIONAMENTO ENTRE UM HOMEM E UMA MULHER. E, OLHA SÓ, ESTAVA AÍ UM PONTO FRACO MEU: SER ILUDIDO.

Eu nunca tinha beijado nenhuma garota aos trezes anos de idade

e nunca tinha passado de algo melhor do que um beijinho na bochecha daquela menina da classe por quem eu era apaixonado, então sempre peguei de referência filmes românticos, achando que, se eu supostamente fosse o "príncipe encantado" dos filmes, as garotas se apaixonariam por mim. Quer saber? Continuei sem beijar ninguém por muito tempo sendo o queridinho e fofinho da turma.

A real é que essa idade, não importa o quanto você faça por uma garota, é uma fase em que existem dois paralelos rolando: estudar e se divertir nas horas vagas.

Como eu não saía pras festas e rolês com a galera, o tempo que me restava pra tentar conquistar uma garota era durante a escola, e olha, o idiota aqui achava que ia conquistar alguém no intervalo de vinte minutos entre uma aula e outra; ou na aula de Matemática, enquanto o professor virava pra escrever na lousa, ou até mesmo no bebedouro, quando o corredor ficava vazio por estarem todos nas classes. **QUANDO A GAROTA PEDIA PRA IR BEBER ÁGUA, EU SAÍA JUNTO SÓ PRA VER AQUELES LÁBIOS QUE EU QUERIA TANTO BEIJAR** tocando aquela água que vinha de baixo pra cima, como quando eu fazia xixi, aquela água amarela que descia, de cima pra baixo, na mesma intensidade da água que ela bebia no bebedouro. Sim, tentei tornar isso romântico e sensual, mas me deu vontade de ir ao banheiro nesse meio-tempo e só vinha na minha cabeça água e urina, desculpem. Vamos continuar.

Eu lembro até hoje do meu primeiro beijo.

Acho que o primeiro beijo significa muito mais pra uma garota do que pra um garoto. Mas, como eu disse, sempre fui meio menininha.

OS HOMENS BEIJAM POR BEIJAR.

As garotas beijam por atração, momento, sentimento, química, física, biologia e gramática. Meu Deus! A cabeça das garotas não poderia ser que nem a dos homens? Vai lá, beija e faz o garoto feliz.

Chegou num ponto da minha vida que ou eu beijava, ou eu morria. **NÃO DAVA MAIS: QUASE QUATORZE ANOS E NUNCA TER BEIJADO A BOCA DE UMA MENINA? JÁ ESTAVA ACHANDO QUE TINHA ALGO DE ERRADO COMIGO. SERÁ QUE EU TINHA BAFO? ERA MUITO FEIO? CHEIRAVA MAL?**

Eu era muito noveleiro, então teve uma época na minha vida em que eu queria ser ator, mas por um único motivo: beijar uma garota! Tinha certeza que, virando ator, eu teria uma namorada na novela e beijaria ela toda hora. Enfim, mais pra frente eu conto essas minhas tentativas frustradas de estrelar nas telas do Brasil afora. **AFINAL, QUE JOVEM NUNCA QUIS SER FAMOSO, NÃO É MESMO?** Não me julguem.

Acho que chega um ponto da vida do garoto que ou ele vai lá e faz ou será pra sempre o "zoado" da turma. Eu já tinha passado do ponto de ser "o zoado", então acabei meio que sendo "o esquecido". Sempre fui tipo o neutro da turma, não sabiam muita coisa de mim, eu não me abria tanto, ou seja, se eu já tinha tirado meu BV ou não, era uma incógnita nacional.

Enfim, eu lembro até hoje do meu primeiro beijo por um simples motivo: ele nunca existiu, de fato, na época exata em que todos souberam que ele existiu. Como assim? Vamos explicar!

Tem uma época na adolescência que beijar uma garota vira o maior lance do mundo, e, quando o cara beija uma, ele conta pra todo mundo e depois dali parece que ele tirou o cabaço e pode beijar desenfreadamente. Lembro que o papo sempre era:

– E AÍ, PEGOU ELA?!
– VAI PEGAR?!
– TIREI O BV DELA!
– QUE BEIJO GOSTOSO... PEGUEI ELA A FESTA INTEIRA.

Na minha cabeça, beijar uma garota já era algo superincrível, afinal, todos os meus amigos só falavam disso, mas, pra minha infelicidade, não bastava só falar... Garotos gostam de comparar, competir e ver quem é o fodão. Vai dizer que nunca veio um amigo seu te perguntar se você já beijou, quantas beijou e logo depois criticou o seu número e mostrou que o dele era maior, mostrando que ele era o "macho alfa" da turma, hein?

O problema pra mim estava aí: o que responder pra um moleque que vem te perguntar quantas você já beijou, onde, como, nome, sobrenome, se era gostosa ou não, se você nunca beijou uma garota? Eu estava num ponto em que não podia falar:

— *Mas eu nunca beijei uma garota, cara, sou BV.*

Essa possibilidade de resposta já tinha passado há dois anos. Com quatorze anos responder isso, um dia depois você é o assunto mais comentado da escola: "Christian, o garoto de quatorze anos que nunca beijou uma garota. Será gay? Feio demais? Nenhuma garota o quis? Eis a questão!".

Lembro até hoje do momento em que contei uma das maiores mentiras do mundo. Estava na fila da cantina, comprando um Toddynho. Que garotão bad boy esse, hein?!

Logo senti uma cutucada nas costas. Era um amigo meu, que puxou do nada um assunto que eu sempre evitava.

– AÊ, CHRIS, VOCÊ TIROU TEU BV ONDE, MANO?

Eu gelei, segurei forte meu Toddynho, virei pro meu amigo, dei um gole pra enrolar enquanto pensava em algo pra falar. Sabe aquele momento em que você tem cinco segundos pra responder algo mas não tem ideia do que vai responder, e dentro da sua cabeça passam milhões de possibilidades de respostas, e todas as respostas já vêm com uma suposta consequência se você falar aquilo?

Pois bem. Depois dos meus cinco gloriosos segundos de enrolação, eu respondi:

– AH, CARA, VOCÊ NÃO CONHECE A GAROTA. TIREI O BV NA CASA DELA...

Logo depois que eu falei isso, pensei: "Na casa dela, Christian?! Na casa dela?! Por que eu dei uma resposta que vai resultar em mais perguntas?".

Acho que, quanto mais pressionados estamos pra responder algo, mais aquela resposta vai complicar a gente. Não deu outra. Meu amigo se animou, achando que tinha acontecido algo mais que um beijo:

– Só beijo? Na casa dela?! Hum, sei, sei... Essa história você nunca me contou. Conta o resto.

Ainda bem que com ele eu não tinha tanta intimidade, porque, se fosse um amigo mais próximo, já teria percebido que eu estava mentindo. Afinal, eu não saía nem da minha casa, o que eu estaria fazendo na casa de uma garota? E, com quatorze anos, a fase de tirar BV, beijar garotas em grandes quantidades nas festinhas, vai ficando pra trás. Os garotos começam a descobrir que existem coisas melhores do que beijos, se é que vocês me entendem.

Tudo bem que ninguém come ninguém nessa idade, e os que comem não ficam espalhando. Eles são aqueles bad boys autênticos da turma, que você olha pro garoto e pensa: "Quero ser ele quando crescer". O cara não faz esforço pra ser descolado e ter cara de comedor; ele simplesmente é assim.

MAS AGORA COMO EU IA EXPLICAR A MINHA SITUAÇÃO DE ESTAR NA CASA DA GABRIELA, SIM, INVENTEI UM NOME PRO MEU AMIGO, E EXPLICAR COMO FOI TIRAR MEU BV NA CASA DESSA SUPOSTA GABRIELA?

Ele tinha certeza de que eu tinha feito mais coisas com ela. Sabe quando nossos amigos ouvem algo e ficam o dia inteiro cutucando você com aquela voz de "Hummm... Tô sa-beeeendo, me conta!". Então. Ele estava assim comigo.

Eu contei que a Gabriela era filha de uma amiga do meu pai e que a mãe dela me adorava, me chamou lá pra lanchar e depois saiu, deixando eu e a menina sozinhos na casa. Eu, por ser muito pegador, falei para assistirmos um filme e não esperei nem um minuto e comecei a beijar ela loucamente. Ela era bem "liberal" e me deixou encostar em todas as partes dela, se é que você me entende...

EIS, ENTÃO, QUE COMETI A MAIOR BURRADA DA MINHA VIDA. DISSE QUE ISSO TINHA ACONTECIDO HÁ UM ANO. POR QUE EU FALEI ISSO? Pra história bater com um padrão normal de "cronologia adolescente de prazos de beijo". Afinal, eu tinha acabado de fazer quatorze. Se já fazia um ano, eu a beijei loucamente e fiz coisinhas legais com ela quando eu tinha acabado de fazer treze, o que é uma idade legal e está no padrão de não ser o zoado e atrasado da turma.

Meu amigo delirou no que a garota fez comigo, e eu detalhei tanto e contei sobre essa Gabriela como se ela fosse tão real e perfeita na visão de um homem que, assim que terminei de contar, ele disse:

– *Cara, na moral! Se você não tem mais nada com ela, pelo que entendi, vou procurar ela lá no teu perfil e adicionar essa mina, tranquilo?*

Foi aí que eu gelei de vez. O cara se apaixonou por uma garota que nem existe. Agora eu estava ferrado! Pra piorar, respondi pra ele:

– Opa, claro. Não sei se ela tá no meu perfil... Mas vê lá!

– **CARA, SE ELA NÃO ESTIVER LÁ, EU PROCURO! QUAL É O SOBRENOME DELA?**

Depois dessa pergunta, eu já nem considerava ele mais amigo. O cara tava me enquadrando. Que é isso, gente? Parecia programa do Silvio Santos, "pensa rápido e ganhe um PlayStation!". Eu não tinha mais de onde inventar, falei um sobrenome qualquer e deixei a coisa acontecer.

O que eu vou falar agora vai parecer mentira, mas juro, por escrito, neste livro, que é verdade! É tão bizarro e tão coisa do endiabrado que nem pra mim esse episódio parece ter sido real. O cara procurou a garota no meu perfil e achou uma menina lá com o mesmo sobrenome que eu disse pra ele, mas não era a "Gabriela".

COMO NÃO ESTAVA ACHANDO A GABRIELA E OBVIAMENTE NÃO IA ACHAR, PORQUE ELA ERA UMA BELA INVENÇÃO DA MINHA MENTE LOUCA, ELE ENTROU NO PERFIL DESSA GAROTA COM O SOBRENOME QUE EU FALEI, PROCUROU NOS FAMILIARES DA MENINA... E QUEREM SABER DO SURREAL? A IRMÃ DELA, POR INCRÍVEL QUE PAREÇA, SE CHAMAVA GABRIELA, TINHA UNS QUINZE ANOS E EU NUNCA TINHA VISTO NA VIDA. A menina que estava no meu perfil eu havia conhecido numa viagem daquelas bem idiotas que fazemos com monitores e a merda toda, quando nossos pais querem se livrar da gente nas férias, sabe?

Enfim, no dia seguinte, eu achando que estava livre da história do primeiro beijo, meu amigo chega pra mim e fala:

 — Cara, achei a Gabriela! Você não tinha ela adicionada, mas achei

a irmã dela no seu perfil e adicionei. Estou esperando ela me aceitar.

Eram sete da manhã, eu estava com sono, sem vontade de ir pra aula e a primeira notícia do dia foi essa bomba? Como isso era possível? Só podia ser uma conspiração contra mim. Ele estava superanimado me contando isso e eu só pensava numa coisa: "Que merda que aconteceu? De onde surgiu essa Gabriela? Será que a mentira foi tão boa que eu materializei essa garota?!".

EU SÓ QUERIA CHEGAR EM CASA LOGO PRA LIGAR O COMPUTADOR, ABRIR MEU PERFIL, ACHAR ESSA SUPOSTA IRMÃ E, POR FIM, A TAL GABRIELA.

Quando queremos que as horas passem rápido, esquece... Elas demoram o triplo pra passar. Se você estiver com pressa e aflito pra passar uma hora, pode acrescentar cinco horas em cada hora. Essa é a proporção quando ficamos de dez em dez minutos olhando o relógio pra ver se o tempo está passando rápido.

Depois de oitocentas horas de escola, literalmente, na minha proporção de espera, voltei correndo pra casa, liguei o computador e comecei as minhas buscas. Eu já sabia que não encontraria Gabriela nenhuma, então fui direto pelo sobrenome.

EIS, ENTÃO, QUE APARECE ESSA ÚNICA GAROTA COM O SOBRENOME QUE EU INVENTEI. ABRO O PERFIL DELA, JÁ COM MEDO DO QUE APARECERIA, VASCULHO UM POUCO MAIS E LÁ ESTÁ: "IRMÃ(O) – 1 – GABRIELA".

Minha reação foi primeiramente rir da situação e depois pensar: "Se ele adicionou ela e ela aceitar, consequentemente eles vão conversar e eu vou me passar como o louco da história, que contou algo usando uma menina que nunca tinha nem visto na vida".

Fiquei duas horas na frente daquele monitor pensando no que eu poderia fazer e também me lamentando por ter quatorze anos e ainda ser BV e precisar contar uma mentira tão boba e que tinha dado tão errado.

Tive uma ideia que poderia dar certo ou não, enfim, botei em prática. Adicionei a Gabriela e logo mandei uma mensagem: **"OLÁ, VOCÊ NÃO ME CONHECE, MAS, SE O 'FULANO' TE ADICIONAR, FALA PRA ELE QUE VOCÊ ME CONHECE, OK? OBRIGADO, BEIJOS!".**

SE PASSARAM DEZ DIAS E NADA, NADA DE RESPOSTA PRA MIM E NADA DO MEU AMIGO SE MANIFESTAR A RESPEITO DELA NOVAMENTE.

EU ESTAVA QUIETO, TINHA CANSADO DESSE PAPO DE MENINA FANTASMA, ENTÃO FIQUEI EVITANDO O CARA.

Mais alguns dias se passaram, o final de semana acabou e lá estava eu numa segunda-feira de tédio escolar. Eis, então, que meu amigo vem correndo me contar uma coisa. Eu, com sono, fingi interesse, mas depois que ele falou o nome "Gabriela" o interesse de verdade surgiu!  Meu olho arregalou e eu ouvi a história. **ELE DISSE QUE HAVIA CONVERSADO COM ELA A SEMANA INTEIRA, O FILHO DA MÃE NEM TINHA ME CONTADO! E, DEPOIS DE CONVERSAR COM A GABRIELA SEM PARAR, DISSE QUE FOI NO CINEMA COM ELA NO SÁBADO E ELES SE PEGARAM LOUCAMENTE. SIM, ELE USOU A PALAVRA "LOUCAMENTE".** No encontro, ele perguntou de mim e ela fingiu que não me conhecia, disse o cara, o que, na verdade, com certeza, não era fingimento. Ela não me conhecia mesmo, então deixei quieto.

Pela animação dele, ela não falou nada de mim e com certeza não entraram em detalhes das histórias que contei. Fiquei tranquilo. **MAS QUEREM SABER DE UMA COISA? ESSA HISTÓRIA REALMENTE ME MARCOU, PELO FATO**

DE QUE O MEU AMIGO PEGOU UMA GAROTA POR UMA PONTE QUE EU FIZ, DE UMA SITUAÇÃO E DE UMA GAROTA QUE NUNCA EXISTIRAM PRA MIM. Eu continuei BV, ele beijou mais uma de muitas que pegava, e, pelo que ele me contou, ela realmente deixava ele encostar em todas as partes dela. Como pode, me diz? As coisas deram tão errado pra mim nesse episódio e, ao mesmo tempo, tão certo. Loucura.

EU CONTINUO BV!

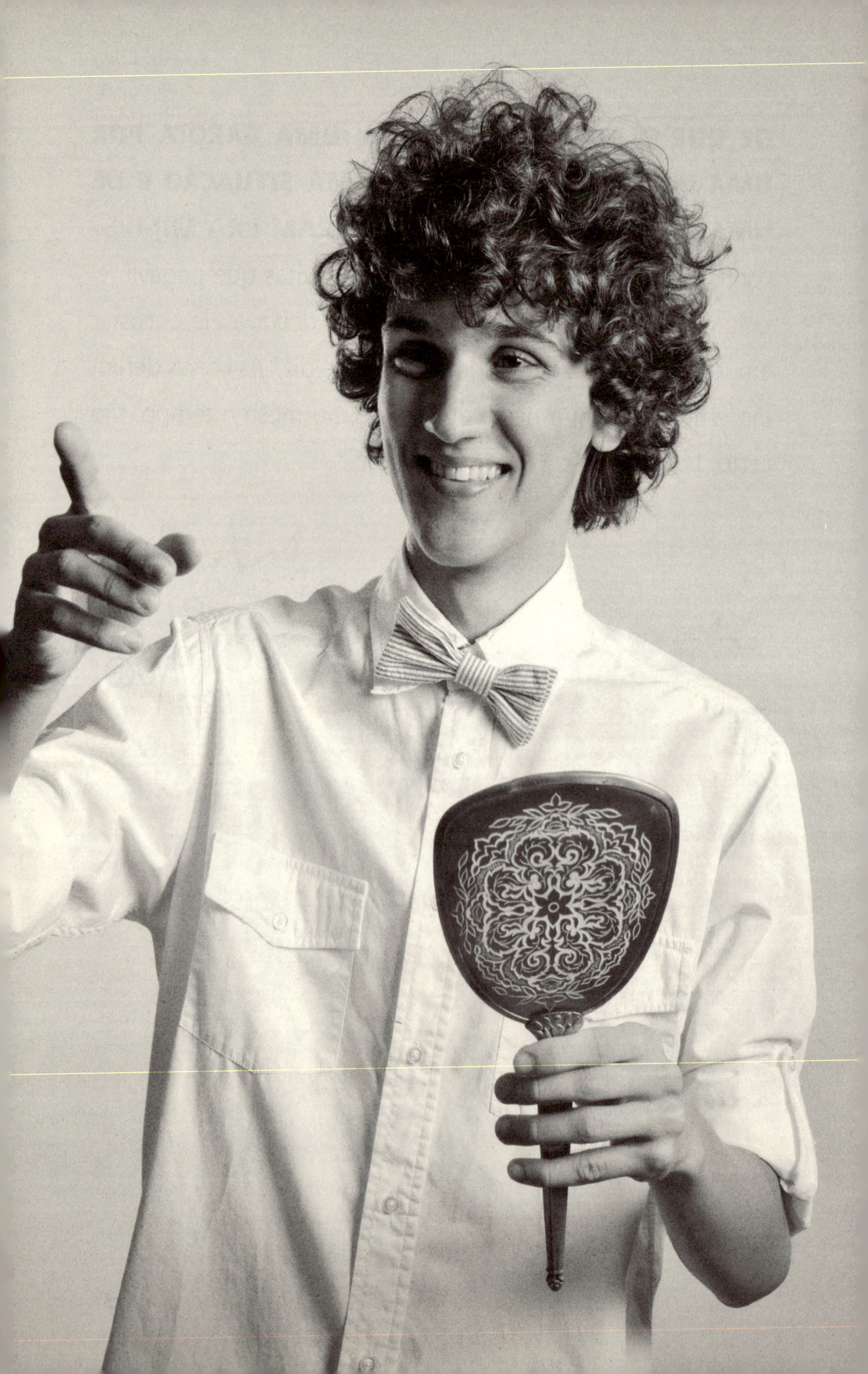

3

AMIZADE É UMA COISA DE LOKO.

JÁ PARARAM PRA PENSAR NA QUANTIDADE DE PESSOAS MUITO DIFERENTES QUE SÃO NOSSOS AMIGOS? TODO MUNDO TEM AQUELE AMIGO MUITO BOBO, AQUELA AMIGA QUE NÃO SAI DA FRENTE DO ESPELHO, UM QUE ADORA LER, UM QUE ODEIA LER, UM QUE JOGA BOLA, UM QUE NÃO SAI DA FRENTE DO COMPUTADOR, UM EM QUEM VOCÊ SEMPRE PODE CONFIAR E CONTAR AS COISAS. MAS TODO MUNDO, TODO MUNDO MESMO, TEM AQUELE AMIGO QUE QUANDO VOCÊS SE REÚNEM DÁ MERDA...

É impressionante, não importa se é num casamento, num dia na casa do outro, num piquenique, numa viagem à lua ou indo comprar pão na esquina; a merda sempre vai estar lá esperando pra acontecer! E algo mais curioso: esses amigos costumam ser sempre os melhores, os que estão sempre lá pra você.

AS HISTÓRIAS QUE TEMOS COM UM MELHOR AMIGO SÃO AQUELAS QUE CONTAMOS TODOS OS DIAS PARA OS PAIS, OUTROS AMIGOS, PRIMOS, AVÓS, TIOS; UM MELHOR AMIGO VIRA ATÉ MEMBRO DA FAMÍLIA DE TANTO QUE FALAMOS DELE. Ele sempre estará lá quando precisarmos, e, por mais que você brigue com ele, no dia seguinte já estarão rindo juntos de alguma besteira. Ele também é uma das poucas pessoas que, se vocês passarem duzentos anos longe um do outro, no minuto do reencontro vai parecer que nunca se separaram.

Acho que eu tinha uns quatorze anos. Era logo depois do Natal e eu ia viajar com um grande amigo de infância para a fazenda da tia dele. Devia ser a quinta vez que viajávamos para lá e o terceiro Ano-Novo juntos. Já estavam virando uma tradição as andadas a cavalo, mergulhos na piscina e no lago, e o mais emocionante: andar escondido no quadriciclo da prima mais velha dele. Quantas aventuras não vivemos com aquele quadri, desde andar a sessenta por hora a pifar no meio de uma mata selvagem com barulhos de criaturas assassinas que poderiam nos atacar a qualquer momento. Apesar disso tudo, sempre conseguimos resolver os problemas e devolver o quadriciclo sem ninguém perceber sua ausência.

FOMOS VIAJAR, DORMI ANTES DE SAIR DE SÃO PAULO E SÓ ACORDEI COM O CARRO PULANDO NA ESTRADA DE TERRA, QUASE CHEGANDO NO NOSSO DESTINO. Desfizemos nossas malas e fomos pescar no lago com a esperança de trazer a janta pra casa. Pra variar, pescamos só umas duas tilápias, que não enchiam a barriga de ninguém.

Quando voltamos pra casa, tinha um clima estranho no ar. Todos os adultos estavam reunidos e nos chamaram. Pensei que a gente iria tomar alguma bronca. Mas não. Eles tinham uma notícia pra nos dar. Como já tínhamos feito quatorze anos, estávamos ficando mais maduros e éramos adolescentes responsáveis (até parece!), a partir daquele dia poderíamos usar o quadri quando quiséssemos, mas com uma condição. Que nunca, mas **NUNCA** mesmo, **ANDÁSSEMOS NA CHUVA NEM À NOITE.** Já era tarde, então preferimos deixar pro dia seguinte.

Acordamos num dia muito bonito, com sol de rachar e sem uma única nuvem no céu.

Fomos nadar, andar a cavalo, jogar bola no gramado com o Pablo, que era o filho do moço que trabalhava lá. Depois do almoço e de tanta atividade, quisemos dar um cochilo. Sim, éramos adolescentes com alma velha, adorávamos dormir à tarde depois de comer.

Não sei por quanto tempo dormimos, mas quando acordamos era praticamente o apocalipse. **O CÉU TODO FECHADO E TROVEJANDO, VENTOS QUE CHACOALHAVAM AS ÁRVORES E UMA FINA GAROA. OLHANDO ESSA PAISAGEM PELA VARANDA, CONCLUÍMOS: ERA O MOMENTO PERFEITO PARA ANDAR DE QUADRICICLO.**

NÃO SEI SE VOCÊS JÁ PERCEBERAM, MAS, 90% DAS VEZES QUE VOCÊ FAZ ALGO QUE FOI PROIBIDO POR UM ADULTO, ESSA TAL COISA VAI DAR ERRADO. É INACREDITÁVEL.

Mesmo que as chances sejam de uma em um milhão, essa coisa vai acontecer. Parece que sempre tem alguma força invisível fazendo o possível pra ferrar tudo.

Ligamos o quadri e saímos sorrateiramente da casa. Meu amigo faria a primeira volta e eu a segunda. Geralmente um ia dirigindo e o outro atrás, segurando bem forte no da frente. Se um morresse, morriam os dois. Na volta dele foi tudo normal, apesar da chuva. Altas emoções por ir muito rápido e derrapando, mas sem grandes incidentes.

Chegou a minha vez. Senti algo que nunca tinha sentido antes. Parecia que estava possuído pelo Vin Diesel, do *Velozes* e *Furiosos*. Não existia nada que eu não pudesse fazer. Arranquei em alta velocidade, fui dando saltos radicais pelos desníveis da estrada de terra, cheguei a fazer um drift perfeito numa curva. Só conseguia ouvir meu amigo gritando que eu ia nos matar. Mas tudo bem. Nada ia me atrapalhar. Eu era o Vin Diesel.

PERTO DO FIM DO NOSSO TRAJETO, TINHA UMA DESCIDA COM A ESTRADA TODA ESBURACADA E CHEIA DE LAMA. DEVIDO AO MEU ESPÍRITO DE PILOTO DE FÓRMULA 1, FUI COM TOTAL CONFIANÇA DE QUE TUDO DARIA PERFEITAMENTE CERTO. Muito empolgado, me distraí por alguns segundos. Nesse momento, o quadri perdeu o controle e foi em direção ao barranco, bateu e virou com nós dois em cima.

Passados alguns instantes de choque, percebi que minha perna estava presa embaixo do nosso veículo e que pingava um líquido nela. Era gasolina. Me desesperei, com medo de uma possível explosão. Gritei pela ajuda do meu amigo, que estava tendo um acesso de riso e apontando o dedo para o meu sofrimento. Depois de o cuzão ter rido bastante, me ajudou a levantar o quadri e me tirar de lá. **FOI SÓ AÍ QUE PERCEBEMOS QUE O BANCO DO QUADRICICLO TINHA SUMIDO. COMO UM BANCO GIGANTESCO DESAPARECE?**

Entramos em pânico. Tínhamos pegado o negócio escondido e não poderíamos devolvê-lo sem o banco. Percebemos que ele estava embaixo do barranco em que batemos, na margem de um lago. Meu amigo desceu para pegar, mas, quando estava quase lá, escorregou num mato molhado e caiu de cara no rio. Foi a minha vez de me mijar de rir. Ele voltou encharcado e puto. Prendemos o banco no quadri.

CHEGOU A HORA DE LIGAR ELE DE NOVO. MAS A CORAGEM NÃO VINHA. O medo de que alguma coisa do motor entrasse em contato com a gasolina que tinha vazado e nos explodisse tomou conta. Esperamos uns cinco minutos debaixo da chuva, que já estava forte, e ligamos. Não foi na primeira tentativa. Não foi na segunda. Não foi na terceira. Mas por algum milagre ele ligou na quarta tentativa e pudemos voltar pra casa.

NINGUÉM DESCOBRIU QUE CAPOTAMOS O QUADRI E QUASE MORREMOS. MAS, POR TERMOS SAÍDO NO MEIO DA CHUVA, FICAMOS PROIBIDOS DE USÁ-LO ATÉ O FIM DA VIAGEM. EU E MEU AMIGO MORREMOS DE RIR ATÉ HOJE LEMBRANDO DESSE DIA.

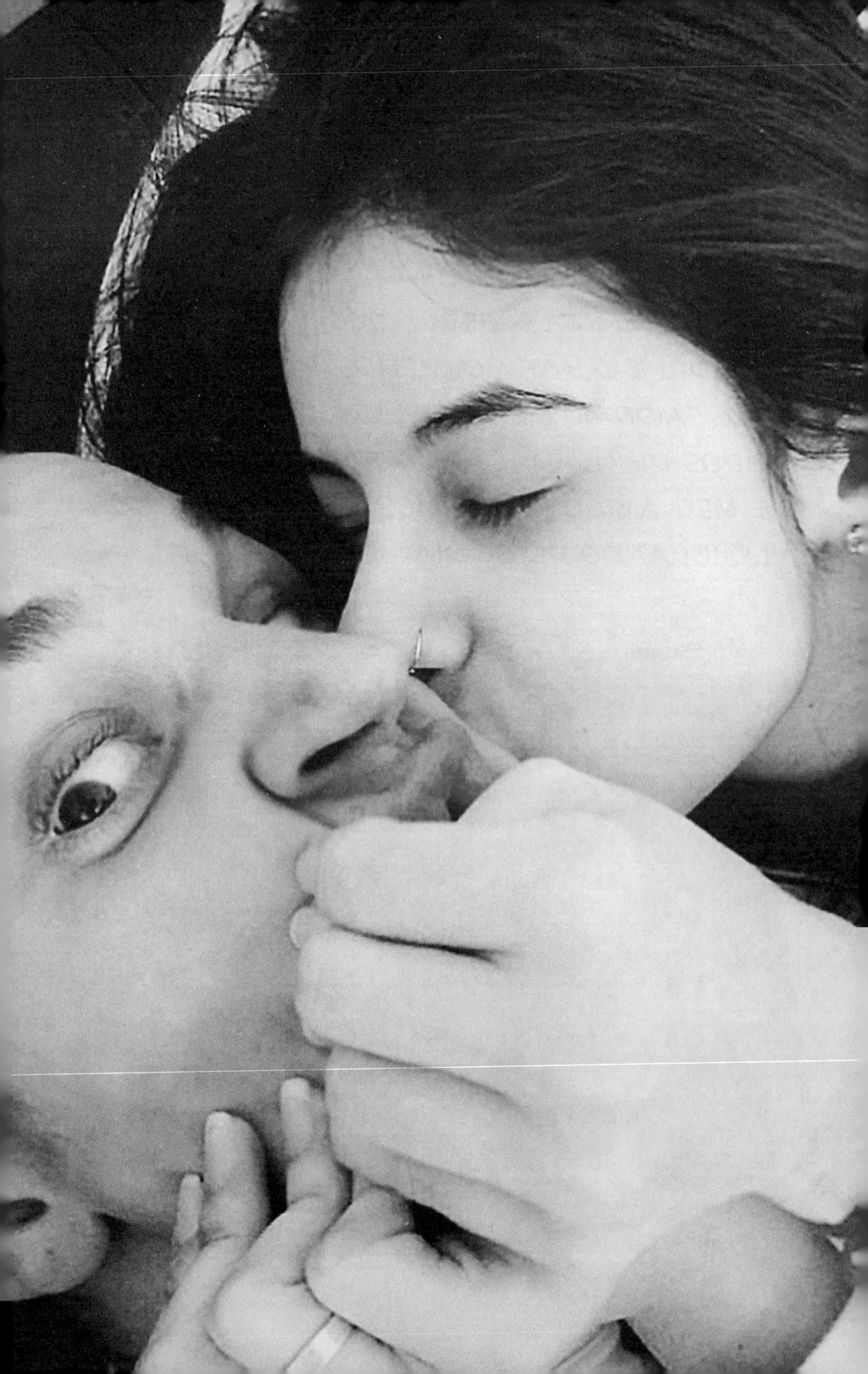

4

SÓ PARA CONSTAR AQUI, MEU PRIMEIRO BEIJO ACONTECEU, FINALMENTE, COM QUINZE ANOS. POR INCRÍVEL QUE PAREÇA, ESTE CAPÍTULO VAI SE JUNTAR COM O TEMA "AMOR PLATÔNICO". POR SER PLATÔNICO, GERALMENTE NÃO CONSEGUIMOS FICAR COM ESSA GAROTA QUE IDEALIZAMOS DEMAIS, NOS APAIXONAMOS PELA IMAGEM QUE CONSTRUÍMOS DELA NA NOSSA CABEÇA E NÃO POR ELA DE FATO. NORMALMENTE ACABAMOS NUNCA CONSEGUINDO TER ALGO COM A MENINA...

Tenho certeza que todos vocês já tiveram um amor platônico, não é mesmo? Os garotos, as garotas, todos!

Com as garotas a coisa sempre se repete, e eu, por ter tido uma irmã oito anos mais velha, com sete anos já ouvia por baixo da porta as histórias que ela, com quinze, contava para as amigas dela. Era sempre a mesma reclamação:

– Garoto é tudo igual!

– Vou desistir dele. Achava que ele era uma coisa e era outra!

– Ele só queria me pegar e depois sumiu. Babaca!

Enfim, as garotas na adolescência se iludem com a imagem do príncipe encantado, o cara perfeito, o homem que aparece nos filmes de romance. Até eu me apaixonava por eles, de tão absurdas e fora da realidade que eram as coisas que esses homens faziam pra conquistar uma mulher. Como eu sempre falei: "Só em filme mesmo".

MAS O TEMPO PASSA, AS GAROTAS FICAM MAIS VELHAS E, DE TANTO QUEBRAR A CARA, ELAS VIRAM MULHERES FORTES E UM POUQUINHO MAIS DESCONFIADAS DAS INTENÇÕES DOS HOMENS, NÃO É MESMO?

Já os homens têm uma forma menos clichê de quebrar a cara. Nós idealizamos a garota por quem somos apaixonadinhos na escola, ficamos meses e meses pensando em formas de tentar chegar nela e, quando chegamos, se é que chegamos, o padrão é nunca dar certo e tomarmos um fora. Pelo menos comigo era assim. Então simplesmente tiramos todas aquelas idealizações que tínhamos na cabeça de como essa garota era, e, com a cabeça livre de pensamentos iludidos sobre amor platônico, já conseguimos idealizar as próximas.

Nesse ponto homem é menos sofredor.

Se ele toma um fora, parte pra outra, vai pra balada, tenta pegar todas pra esquecer a garota e fim de papo. Temos uma forma prática de resolver assuntos amorosos.

JÁ AS GAROTAS, VEJO QUE, ÀS VEZES, PERDEM MUITO TEMPO EM UM SÓ CARA, INSISTEM NO MESMO, OU MELHOR, INSISTEM NO ERRADO. ENTÃO, A MINHA DICA É: QUANDO VOCÊS PARAREM DE OLHAR PRA UM SÓ E PERCEBEREM QUE EXISTEM OUTROS, VOCÊS VÃO SER FELIZES. SE DEU ERRADO UMA VEZ, NÃO INSISTA. VOCÊ SÓ ESTARÁ INSISTINDO NO QUE JÁ ACABOU, E OS HOMENS, COMO VOCÊS DIZEM, SÃO IGUAIS. POR MAIS QUE A GENTE DESISTA DE UMA GAROTA, SE ELA VOLTA, A GENTE TENTA DE NOVO E, DEPOIS DE FAZER O QUE QUEREMOS, DESISTIMOS NOVAMENTE. ENTÃO NÃO SEJAM PINGUE-PONGUE NA MÃO DOS HOMENS, PORQUE, SE O GAROTO PERCEBE QUE VOCÊ ESTÁ NA MÃO DELE, VOCÊ ESTÁ FERRADA. SIMPLES ASSIM.

Para os homens a dica é a mesma, digo por experiência própria. Quando uma garota percebe que pode ter você na hora em que ela quiser, que você faz exatamente o que ela manda e como manda, meu caro, você está danado.

EU PODERIA RESUMIR ESTE CAPÍTULO COM UMA SIMPLES FRASE, QUE VOCÊS DEVERIAM LEVAR PRA VIDA: "A ARTE DA CONQUISTA É UM JOGO".

Mas, como eu era totalmente iludido na adolescência, preciso contar como eu quebrava a cara, assim vocês, que também se iludem em assuntos amorosos, vão ver que não são os únicos que se ferram.

Voltando ao assunto primeiro beijo e amor platônico. Tinha uma garota na minha classe por quem eu era completamente apaixonado. Todos os caras da sala já haviam tentado ficar com ela, e querem saber? Ela dava fora em todos. Mas existia uma vantagem do meu lado:

eu era amigo dela, conversávamos todo dia, e aquilo só me deixava mais apaixonado. Eu achava que isso de sermos amigos ajudaria no dia em que eu tentasse ficar com ela, mas a realidade é que, se ser amigo pode ajudar muito, pode ferrar muito mais.

NÃO VOU DIZER QUE EU ESTAVA NA *FRIENDZONE*, MAIS CONHECIDA COMO ZONA DA AMIZADE, QUE É BASICAMENTE QUANDO VOCÊ QUER FICAR COM UMA GAROTA QUE É SUA AMIGA, PORÉM, MESMO VOCÊ DEMONSTRANDO QUE QUER FICAR COM ELA E TENTANDO ALGO SEMPRE QUE DER, ELA VAI TE JOGAR NESSA ZONA DA AMIZADE, POIS NÃO QUER TER NADA MAIS QUE AMIZADE COM VOCÊ.

Lembro até hoje que meus amigos sempre falavam:

– Pô, cara, ela dispensa todo mundo e você é o único que é amiguinho da garota. Chega nela!

Eu ouvia essa frase todo dia, só que havia dois problemas: um, eu não sabia chegar numa garota; dois, eu ainda era BV.

Enrolei quase um ano pra tentar algo com ela! Minha paixãozinha pela menina vinha desde a sétima série, mas só vi que tinha chance de conseguir algo com quinze anos. Foram quase dois anos de espera.

Lembro até hoje da ocasião perfeita que tive para tentar chegar nela. Um garoto de um ano acima do nosso da escola estava chamando todos pra festa de aniversário dele. A festa seria na casa do menino e, cá entre nós, sem contar para os pais, hein? Festa de adolescente antes dos 18 sempre tem mais bebida do que festa. Parece que a vontade de beber é insana nessa idade.

Meu plano era basicamente me declarar para a menina e me vangloriar de ter ficado com a garota que tinha o maior índice de foras em meninos na história da escola. Cá entre nós, eu queria festejar internamente que o meu primeiro beijo teria sido com essa menina.

TUDO BEM QUE ESSE PLANO PODERIA SER EXECUTADO A QUALQUER MOMENTO, MAS NUMA FESTA AS PESSOAS ESTÃO MAIS DESCONTRAÍDAS E NÃO IAM NEM VER SE EU TOMASSE O FORA DO SÉCULO.

O dia da festa já tinha chegado, era uma sexta-feira, aquele dia em que você vai pra escola já pensando no final de semana. Acho que os professores de sexta-feira já sabem que não vão conseguir dar uma aula decente, afinal, ninguém está prestando atenção neles.

EU NÃO VIA A HORA DE O SINAL TOCAR, QUERIA VOLTAR LOGO PRA CASA. Minha sexta-feira seria basicamente arquitetar como eu executaria o plano de pegar a garota à noite, sim, galera, tudo comigo era minimamente planejado e pensado. Sempre tive uma cabeça meio de psicopata, sabe? Aqueles que planejam toda a ação antes de executar o crime, tudo planejado meticulosamente, sem gafes, sem brechas para erro, mas, como eu não era um serial killer, meu plano obviamente estava lotado de gafes e totalmente propenso a dar errado.

A festa começaria às onze da noite, o que pra mim já é de madrugada. Nunca entendi por que essa necessidade de começar tão tarde as festas hoje em dia. Você já jantou, já tomou banho, se trocou, mexeu no computador, assistiu televisão e, quando vai ver a hora, ainda são nove horas. Então você repete tudo de novo mais duas vezes e finalmente chegam as onze. Mas sempre tem aquele negócio de "não seja o primeiro da festa porque parece que você está desesperado".

Querem saber a real? Estava desesperado mesmo! Odeio esperar, odeio sair de casa tarde e odeio festas. Mas essa festa tinha o melhor motivo pra eu esquecer tudo que odiava e partir para o suposto dia mais foda da minha vida.

Cheguei na festa à meia-noite. Estava supervazia, lembro até hoje que fui até o aniversariante e falei:

– E AÍ, CARA, PARABÉNS! GALERA JÁ TÁ VINDO?

Ele deu risada e respondeu que mudou o horário do evento pra meia-noite. Me deu uma leve vontade de reclamar, mas fiquei quieto e esperei alguém que eu conhecia chegar. Está aí outra coisa que eu odeio: ir a lugares onde não conheço ninguém e ter que ficar esperando alguém que conheço para socializar. Nesse meio-tempo de espera, nunca consigo me entrosar com pessoas que não conheço, então fico em um canto fingindo que estou mexendo no celular, mas na verdade estou encarando o plano de fundo do aparelho pensando em uma única coisa: **"CADÊ ESSES FILHOS DA PUTA QUE NÃO CHEGAM?!"**.

À uma da manhã chegou meu melhor amigo. Ele cumprimentou todo mundo e foi me dar um "oi". Fui meio seco com ele, pois já estava lá moscando há uma hora. Depois de conversarmos um pouco, ele me perguntou da garota com quem eu ia tentar ficar.

Falar "garota" dá menos intimidade, não é mesmo? Mas não podemos expor nomes aqui, então vou criar um nome fictício pra ela: Gildirene, que tal? Assim não tem erro de usar um nome bonito e alguma menina que me conhece achar que é ela. Apesar de Gildirene ser um nome feio, a garota era MUITO bonita, então não imaginem aí um gremlin numa versão humana, ok?

A GILDIRENE AINDA NÃO HAVIA CHEGADO, EU JÁ ESTAVA ANGUSTIADO, ACHANDO QUE ELA NÃO IRIA NA FESTA, O QUE FARIA TODO O MEU PLANO IR PRO SACO.

A festa estava lotada, música alta e cada vez mais pessoas chegando. A casa do menino já estava nojenta. Tinha cadeira jogada no banheiro, sofá com bebida derramada em cima, meninas golfando na cozinha. Estava um caos! Era uma clássica festa de adolescentes que não sabem beber direito e terminam todos vomitando e desmaiados em algum canto da casa.

JÁ DESMOTIVADO E QUASE INDO EMBORA, VEJO TRÊS GAROTAS CHEGANDO. Era a Gildirene com duas amigas. Elas estavam perfeitas. Sabe quando uma garota muito linda entra em um ambiente e todos olham, inclusive as mulheres? Então, essa foi a cena naquele momento. As três pararam a festa, e obviamente que, até eu tomar coragem pra executar meu plano, vários moleques estavam se entrosando com elas com segundas intenções.

ELAS FORAM PARA O JARDIM DA CASA PEGAR UMA BEBIDA. Depois de quarenta minutos esperando e enrolando pra ir dar apenas um "oi", mesmo sendo amigo dela, eu estava com aquele frio na barriga, pois não daria um "oi" de amigo... Eu chegaria já seduzindo, jogando todo o charme de um menino inseguro e que gaguejava quando tentava chegar em uma garota.

Ela estava no jardim, conversando com umas cinco meninas. Para a minha sorte, não eram homens. Quando vejo uma garota conversando com um cara, já perco toda a confiança e desisto de ir até ela. Sempre acho que o cara já está no maior clima com ela e com certeza vai beijá-la, mesmo às vezes sendo totalmente o contrário. Fui até o jardim, fingi que não tinha visto a menina e logo entrei na roda falando o seguinte:

– OI, GILDIRENE! NÃO TINHA TE VISTO. ACHEI QUE VOCÊ NÃO VINHA HOJE!!!

Soltei isso com um ar de empolgação e fingindo que estava meio bêbado, pra mostrar descontração, o que era mentira. Afinal, durante todo esse tempo lá eu tinha bebido apenas um copo de refrigerante.

Ela me cumprimentou, me deu um abraço que eu não esqueço até hoje e falou no meu ouvido:

— Chris, me tira daqui! Não aguento mais falar disso com elas...

Não lembro qual era o assunto da roda, mas ela realmente queria sair dali, e aquele pedido me fez gaguejar. Isso não estava no meu plano.

MEU PLANO ESTAVA DIVIDIDO EM DUAS ETAPAS: IR ATÉ ELA SEM PENSAR MUITO E DEPOIS TENTAR BEIJÁ-LA. ELE NÃO CONTINHA O TÓPICO TIRÁ-LA DE UMA RODA DE MENINAS.

Logo ela me puxou pra longe dali e fomos pra baixo de uma arvorezinha que tinha no jardim, acho que era uma pitangueira. Eu estava suando frio, louco para avançar nela e dar um beijo naquela boca que me fazia sonhar todos os dias.

Nós estávamos mudos, um olhando para o outro. Acho que essa era a hora exata para beijá-la, mas o idiota aqui resolveu mudar o plano e estragou tudo. Por isso falo pra você agora: acabou o assunto e você está mudo na frente da garota dos seus sonhos? Avança e beija, não enrola!

Antes de ficarmos mudos por completo, ela disse:

— E aí, Chris?

QUANDO UMA GAROTA FALA "E AÍ...", ELA CLARAMENTE QUER PUXAR UM ASSUNTO COM VOCÊ. MAS FOI LOGO DEPOIS DESSA FRASE QUE EU FIQUEI MUDO, GAGUEJEI E FALEI:

– O que você está bebendo? Vou ali pegar mais uma bebida pra gente!

Ela achou ótima a ideia da bebida, mas na verdade eu já poderia tê-la abortado e beijado naquele momento, porém, quando estamos frente a frente com uma paixão platônica, não sei o que acontece... O corpo trava, as mãos começam a suar, começamos a gaguejar e a primeira coisa que falamos é sempre algo totalmente nada a ver.

FUI BUSCAR AS BEBIDAS, CHEGUEI NO BALDE DE GELO E NÃO TINHA MAIS NADA. ENTREI NA CASA E FUI ATÉ A COZINHA VER SE HAVIA ALGO. ESTAVA TOCANDO UMBRELLA, DA RIHANNA. A MÚSICA TINHA ACABADO DE COMEÇAR, ESTAVA TUDO COM UM MEGACLIMA PARA ROLAR UM BEIJO, MEU PRIMEIRO BEIJO!

Eu estava tão confiante que nada mais importava. Meu objetivo era apenas beijar aquela garota por quem eu estava completamente apaixonado. Chegando na cozinha, o dono da festa, muito bêbado, me falou:

– *Cara, acabou tudo. Geral chapou!*

Virei as costas, voltei pra sala da casa e fiquei parado durante um tempo fazendo uma reflexão interna: "Vou lá agora e vou dar o beijo da minha vida!".

TOMEI CORAGEM, RESPIREI FUNDO E LEMBRO ATÉ HOJE DA PARTE DA MÚSICA QUE ESTAVA TOCANDO QUANDO PENSEI: "AGORA EU VOU!".

Era assim: "When the sun shines, we'll shine together, told you I'll be here forever". Que, traduzindo, seria: "Quando o sol brilhar, brilharemos juntos. Eu te disse que estaria aqui para sempre". Acho que foi a sincronia mais romântica e mais incentivadora que tive pra ir até ela e, sem falar nada, roubar aquele beijo de filme.

Andei rapidamente pela casa, abri a porta da varanda e fui andando até a pitangueira em que ela estava comigo. Eu estava com um sorriso que ia de orelha a orelha, era um sorriso de confiança e felicidade de que tudo parecia estar conspirando a meu favor: a situação, a música, ela ter me chamado para conversar a sós, tudo!

Quando cheguei na pitangueira, ela não estava mais lá. Meu coração foi a mil.

– CADÊ ELA?!

Perguntei pra um pessoal que estava ali no jardim e eles nem falaram nada, só me apontaram. Imaginem agora a música acabando, eu virando em câmera lenta a cabeça ainda

CADÊ ELA? com um sorriso na cara e, de repente, toda a minha confiança, toda a minha vontade, todo o meu carisma do momento se resumiram numa simples frase: "Vontade de gritar para o mundo inteiro ouvir como eu sou idiota!".

ELA ESTAVA BEIJANDO UM CARA QUE EU NUNCA VI NA VIDA, CLARAMENTE MAIS VELHO E MUITO FORTE. ELE ESTAVA BEIJANDO ELA COM TANTA VONTADE QUE JÁ ESTAVA ATÉ TIRANDO A BOCA DA MENINA DO ROSTO.

Eu fiquei durante um minuto encarando a cena. Não sabia como agir, o que pensar, meu mundo desabou. Sabe o que é ver a garota dos seus sonhos beijando outra pessoa na sua frente? Eu tinha certeza que ela estava na minha no momento em que ela pediu pra eu a tirar da roda de meninas, mas pelo visto tinha me enganado.

Minha raiva era tanta que eu voltei pra festa, vi a primeira garota sentada no sofá, sentei do lado dela e falei:

— *E aí, tudo bem? Vou te beijar, beleza?*

A garota deu um sorriso e respondeu:

— **ME BEIJA GOSTOSO, MENINO, VEM CÁ.**

Ela me puxou e beijou minha boca. Assim foi meu primeiro e completamente horrível beijo. Ela estava com gosto de vômito, cerveja e cigarro. A língua dela dentro da minha boca me deu ânsia, ela me devorou e cortou todo o meu lábio. Acho que ela estava com fome e não com vontade de beijar. Naquele momento, senti que minha boca era um X-búrguer duplo com fritas, porque a vontade da garota não dá pra descrever. Depois de uns dois minutos, cortei o beijo e falei que tinha que ir embora.

SAÍ DA FESTA PENSANDO EM UMA SÓ COISA: A GAROTA DOS MEUS SONHOS BEIJANDO OUTRO CARA. PRA MIM NÃO IMPORTAVA SE EU TINHA CONSEGUIDO DAR O MEU PRIMEIRO BEIJO NEM A QUALIDADE DESSE BEIJO...

EU NÃO TIRAVA DA CABEÇA AQUELA CENA DA FESTA. MEU CORAÇÃO ESTAVA LITERALMENTE EM PEDAÇOS.

No dia seguinte fiquei em casa vendo televisão o dia todo e ouvindo a música que tocou na festa durante a minha primeira frustração amorosa. Dois dias depois, segunda-feira, nem quis olhar na cara dela. Ela até perguntou o que estava acontecendo, mas eu simplesmente ignorei a pergunta, dei um sorriso e continuei a fazer o que estava fazendo.

Meu melhor amigo foi até ela, em algum momento do dia, pra contar o motivo pelo qual eu a estava ignorando.

No final do dia ele veio e me contou tudo o que ela falou. Ela havia dito que eu estava louco, que nunca tinha rolado clima nenhum e que eu era superamigo dela e ela nunca ficaria com um cara por quem tinha uma amizade assim, pois estragaria tudo.

Papo clichê de garotas que não querem te pegar. Tenho certeza que vocês já ouviram isso em algum momento da vida, não é mesmo?

DEPOIS DISSO TUDO, EU ME DISTANCIEI TOTALMENTE DELA, E A CONCLUSÃO É: ME FODI. AGORA MEU CONSELHO PRA VOCÊS: NÃO ALIMENTEM UMA PAIXÃO PLATÔNICA POR ALGUÉM NEM FIQUEM NA ZONA DA AMIZADE. SE VOCÊS ESTÃO A FIM DE UMA PESSOA, CHEGUEM NELA O MAIS RÁPIDO POSSÍVEL. QUANTO MAIS VOCÊS ENROLAM, MAIS VÃO QUEBRAR A CARA.

EU FICO LOKO

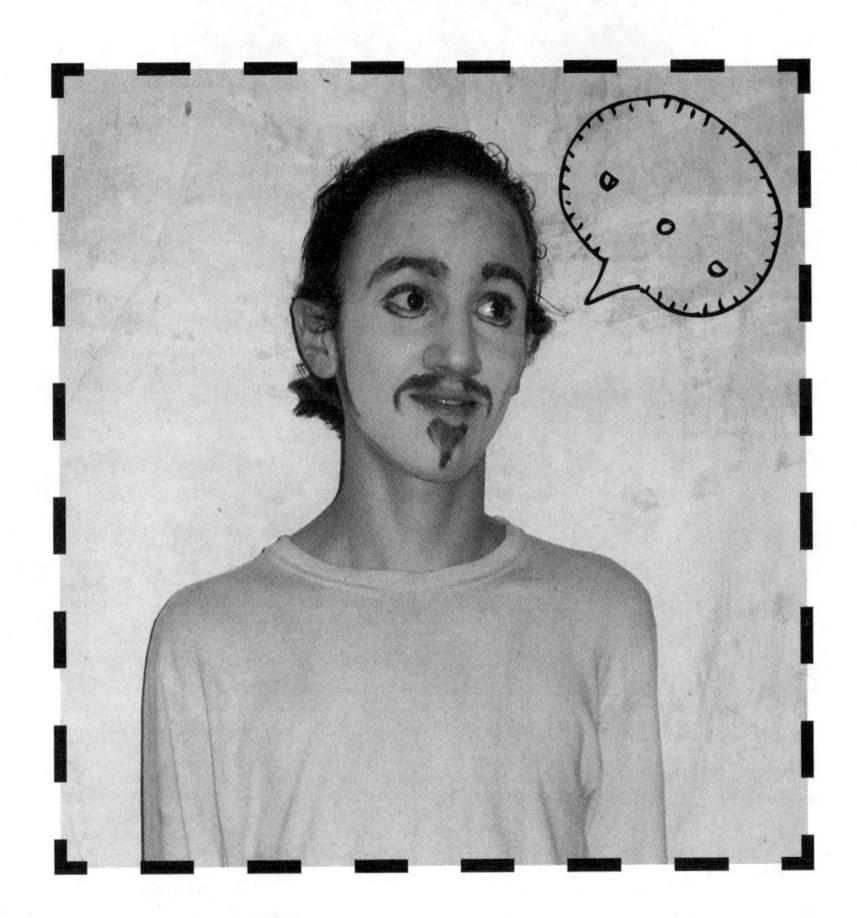

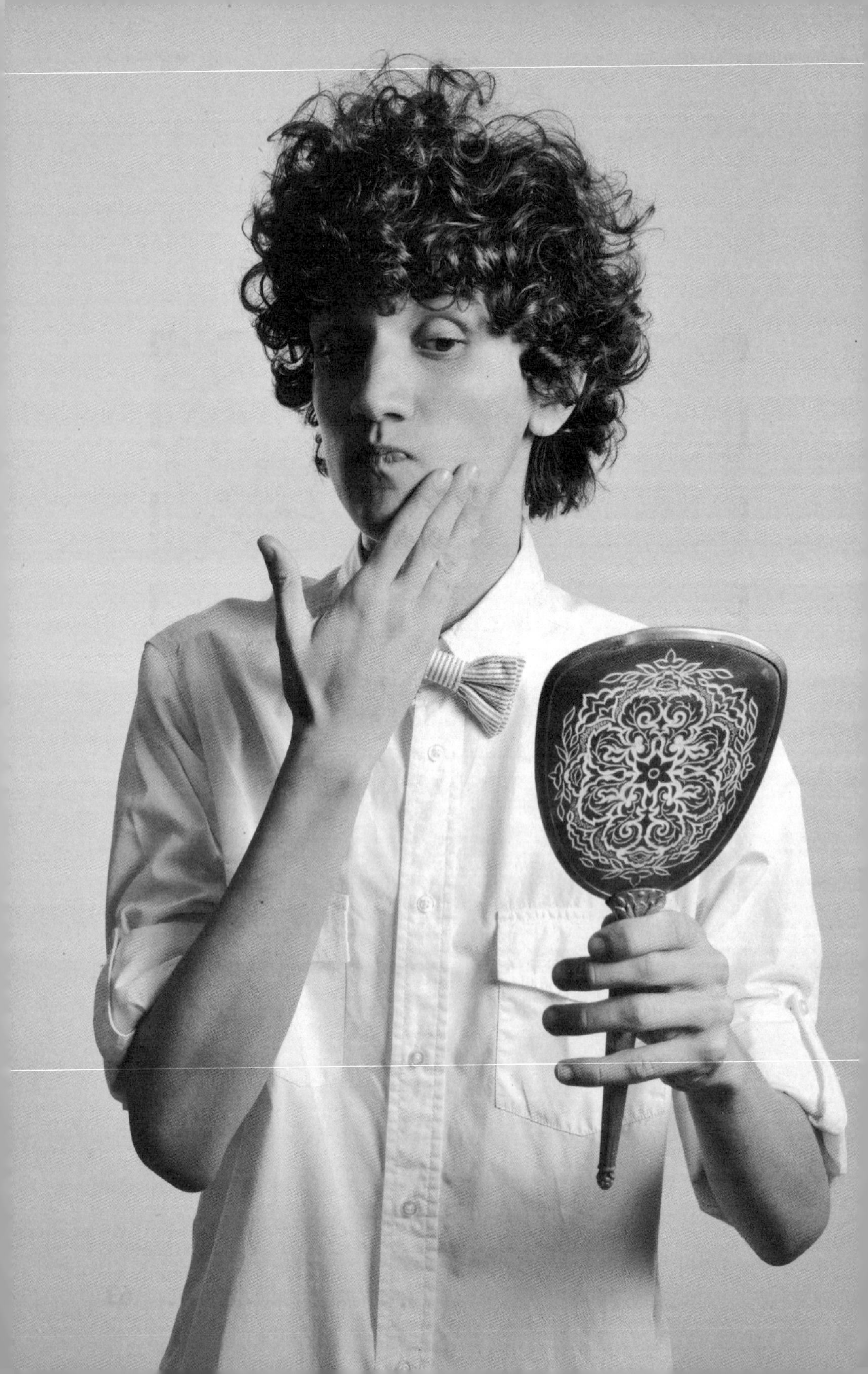

5

NÃO SEI SE VOCÊS JÁ PERCEBERAM, MAS TEM UMA FASE NA ADOLESCÊNCIA EM QUE, SE NÃO FICARMOS DENTRO DE UM PADRÃO ACEITO PELOS OUTROS ADOLESCENTES, NÓS SOMOS AUTOMATICAMENTE ISOLADOS SEM PERCEBER.

EU SEMPRE FUI MUITO COMPLEXADO EM RELAÇÃO AO MEU BELO FÍSICO. COM QUATORZE PRA QUINZE ANOS, EU ERA MAGRO FEITO UM TRONCO DE EUCALIPTO E MINHA COSTELA APARECIA INTEIRINHA NA PELE.

Era como um gado do sertão, basicamente. Ah, claro! Tinha cabelo Bombril e não era nada atraente para o estilo que as garotas gostavam na época. Se meu cabelo fosse liso, eu até poderia usar um corte tigela de Sucrilhos, que era o que estava na moda, o estilo Justin Bieber da época, mas, como o meu era crespo, não dava nem pra forçar o estilo modinha pra ser "bonitinho".

Tenho certeza que muitos de vocês já passaram por constrangimentos em relação ao que são perante os outros. Hoje em dia eu toco o foda-se, mas, antigamente, um comentário de alguém poderia me deixar bem mal.

Lembro até hoje, numa viagem escolar,

o momento que me deixou complexado para sempre com meu peso. Na época, ninguém comentava sobre eu ser magro. Era algo normal: eu sabia que era magro e a coisa morria ali.

ACHO QUE ESSA FOI A VIAGEM ESCOLAR ONDE MAIS PASSEI CALOR NA MINHA VIDA. AS ESCOLAS NUNCA FAZEM UMA VIAGEM LEGAL COM A TURMA; É SEMPRE UM LUGAR QUE NINGUÉM NUNCA OUVIU FALAR, NUM SÍTIO, COM VINTE BELICHES POR QUARTO, ONDE FICA AQUELE CHEIRO DE CHULÉ COLETIVO MISTURADO COM DEZ AROMAS DE DESODORANTES, CUECAS

JOGADAS NO CHÃO, MEU DEUS! ME DÁ ARREPIO SÓ DE LEMBRAR DE UMA CENA DESSAS. EU ODIAVA VIAGEM ESCOLAR.

A vantagem numa viagem escolar quando está muito quente é que geralmente, nos horários livres, as garotas ficam de biquíni e vão nadar. Isso soou como se eu fosse algum maníaco sexual para as leitoras, mas só digo uma coisa a vocês, garotas que estão lendo: os homens adoram quando vocês ficam de biquíni nas viagens escolares. Afinal, todos os garotos já idealizaram como seria o corpo de vocês em momentos solitários, se é que vocês me entendem. Nessas viagens nós podemos ver como vocês são de verdade por baixo do uniforme. Agora eu realmente pareci um maníaco sexual, me desculpem.

ESTAVA SUPERQUENTE, HAVÍAMOS ACABADO DE FAZER A ATIVIDADE ESCOLAR E OS PROFESSORES NOS LIBERARAM PARA O TEMPO LIVRE. COLOQUEI MEU SHORT DE BANHO, TIREI A CAMISETA E FUI NADAR. FIQUEI JOGANDO POLO NA PISCINA DO SÍTIO COM MEUS AMIGOS. ERA UMA PISCINA DO TAMANHO DE UMA PRIVADA E A ÁGUA ESTAVA VERDE. AINDA BEM QUE JOVEM NÃO LIGA PRA DOENÇAS. TUDO BEM QUE PEGUEI QUARENTA TIPOS DE BACTÉRIAS NAQUELA ÁGUA, MAS DEPOIS DE QUATRO ANOS

**DE TRATAMENTO ME CUREI, NÃO SE PREO-
CUPEM. ENFIM, BRINCADEIRAS À PARTE, NA
VERDADE NÃO ERA BRINCADEIRA: A GENTE
ESTAVA MESMO NADANDO EM ÁGUA VERDE
DENTRO DE UMA PRIVADA. PRONTO, PAREI.**

Quando saí da piscina, nem me enrolei numa toalha, pois realmente estava muito calor, então fiquei lá sentado assistindo meus amigos jogarem. As meninas estavam vindo pra piscina, todas de uma vez, em câmera lenta. Parecia uma cena do filme *As Patricinhas de Beverly Hills*.

Até pra ir nadar as mulheres demoram. Depois que os professores nos liberaram elas foram se produzir pra entrar na água. Vê se pode.

Estava lá eu, tomando sol, curtindo uma brisa, quando de repente uma das garotas dá um berro e todos os olhares se voltam para mim. Ela gritou o seguinte:

**– CHRISTIAN DO CÉU!!! VOCÊ É MUITO
MAGRO! OLHA ISSO, GENTE, A COSTELA
DELE APARECE!**

Ninguém falava nada sobre mim até aquele dia, mas, depois que ela criou um barraco, literalmente, por causa do meu peso, todo mundo ficou em volta de mim perguntando quanto eu pesava, por que eu era tão magro e se eu passava fome.

COMEÇARAM A ME TRATAR COMO SE EU FOSSE DE OUTRO MUNDO. FIQUEI PUTO.

Já perceberam que os adolescentes gostam de diminuir os outros às vezes? Se ela tivesse vindo até mim, sentado do meu lado e falado tranquilamente que eu era magro, estaria tudo certo, mas ela preferiu gritar pra todos ouvirem, e, por ser uma garota, a coisa tinha mais credibilidade. Afinal, os homens babavam ovo pra elas, então concordavam com tudo, e as garotas concordavam entre si, ou seja, ela simplesmente queimou meu filme, minha moral e minha autoestima naquele momento.

Depois daquele show que ela deu, todo mundo ficava falando do meu peso. Não era nem bullying, eram comentários maldosos como:

– Ô, GALERA, NÃO COME MAIS. DEIXA PRO CHRISTIAN QUE ELE VAI PASSAR FOME.

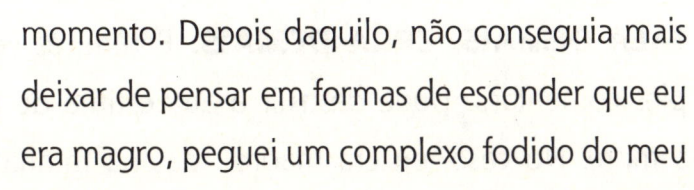

Faltavam mais cinco dias pra viagem acabar, e a partir daquele episódio na piscina tudo se tornou um inferno pra mim. Meu peso virou o assunto de todos os dias. Acho que eu nunca tinha me preocupado com o fato de ser magro até aquele momento. Depois daquilo, não conseguia mais deixar de pensar em formas de esconder que eu era magro, peguei um complexo fodido do meu corpo. Comecei a reparar que, além da costela que aparecia na pele, meu braço era do tamanho do meu pulso e minha canela era muito fina. Eram tantos defeitos, numa visão de estar dentro de um padrão pra ser aceito, que eu enlouqueci.

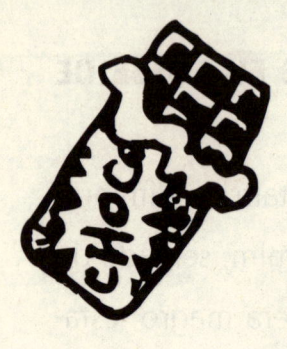

Depois que a viagem acabou, as zoações continuaram em menor intensidade, mas, depois de lá, nunca mais consegui usar short ou tirar a camiseta na praia. Pode parecer idiota, mas até hoje nunca mais usei um short. Isso pra vocês verem como algo que acontece na adolescência pode refletir sem percebermos no nosso futuro.

POR ISSO DIGO PRA VOCÊ AGORA: TOME CUIDADO COM O QUE VOCÊ FALA PROS SEUS AMIGOS, COM O QUE VOCÊ OUVE E GUARDA PRA SI COMO UMA OFENSA OU ALGO QUE ABAIXE SUA AUTOESTIMA. SE ALGO TE INCOMODOU, RESOLVA NA HORA. MOSTRE QUE NÃO GOSTOU! AFINAL, DEPOIS PODE SER TARDE DEMAIS PRA RESOLVER.

SEI QUE NA ADOLESCÊNCIA A GENTE JULGA DEMAIS, FALA DEMAIS, ERRA DEMAIS. Porém, às vezes um simples comentário pode destruir a autoestima de alguém para sempre. No caso, eu era magro, mas na minha sala tinha o gordinho, a menina do cabelo de bruxa, a baixinha feia e assim por diante. Às vezes falamos algo a respeito da aparência da pessoa que pode parecer idiota, mas que vai refletir nela como um complexo para o resto da sua vida. Só finalizo este capítulo dizendo:

TOMEM CUIDADO COM AS PALAVRAS!

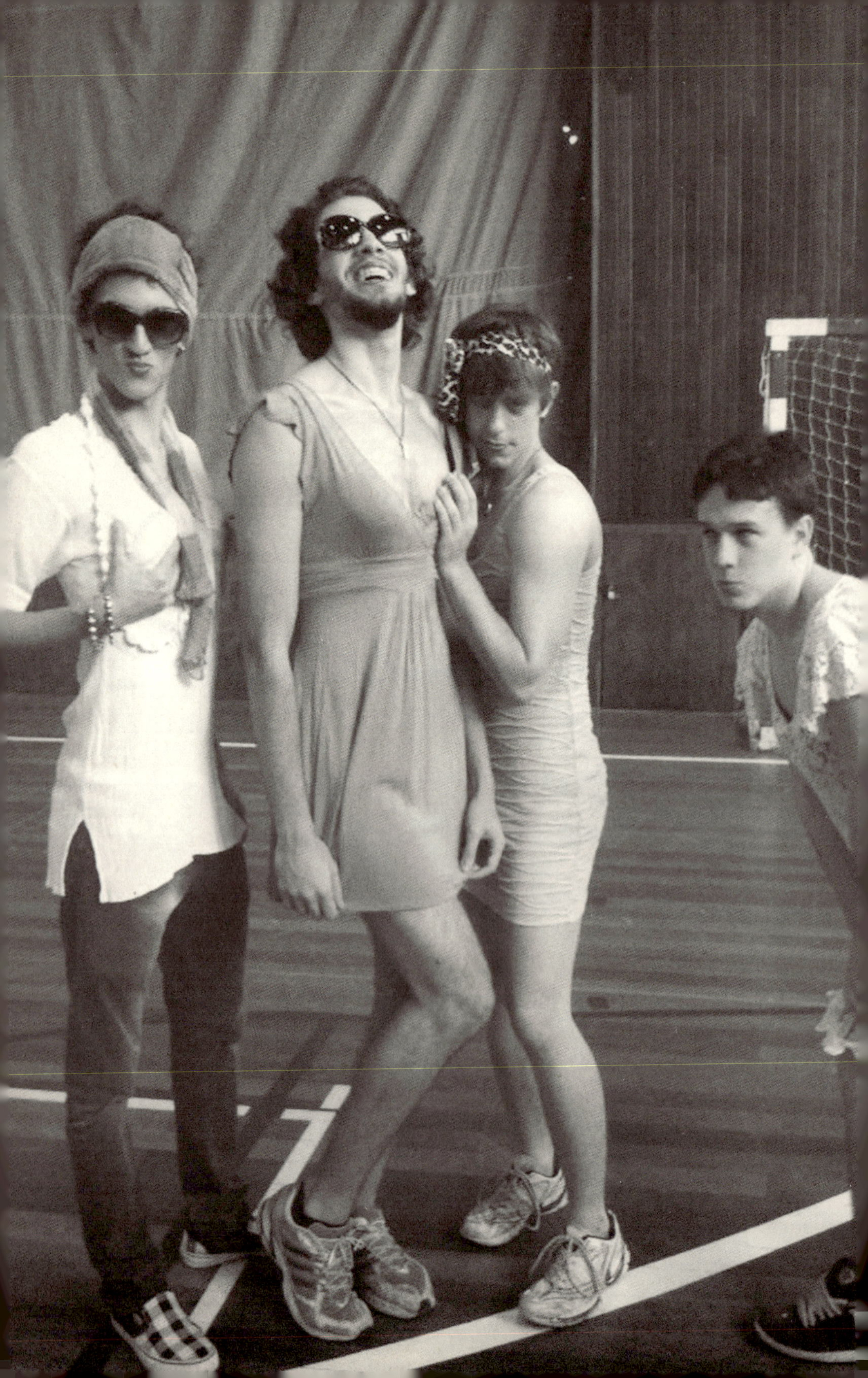

6

AS FÉRIAS ESTAVAM CHEGANDO, E SEMPRE QUE ELAS ESTÃO PERTO NOSSOS AMIGOS COMEÇAM A PLANEJAR PASSEIOS, VIAGENS OU SIMPLESMENTE FALAM A CLÁSSICA FRASE: "FINALMENTE, FÉRIAS!".

TENHO CERTEZA QUE TODOS QUE JÁ VIAJARAM JUNTO COM AMIGOS, SEM A PRESENÇA DOS PAIS, TIVERAM HISTÓRIAS PRA CONTAR DEPOIS.

Lembro de uma vez que viajei com meus melhores amigos e garanto a vocês que o final dessa viagem beirou roteiro de filme de cinema. Fomos em seis amigos para o sítio de um deles. Já estávamos numa idade que os pais confiavam em deixar tudo sob nossos cuidados, então estava liberado viajarmos totalmente independentes. Mas garanto uma coisa: seis garotos de dezesseis anos sozinhos, absolutamente não é algo confiável.

Pra começar, já vi que iria dar merda pelas compras no supermercado. Um dia antes de viajarmos, fomos comprar os mantimentos. Ficaríamos uma semana no sítio, isolados de tudo, então precisávamos comprar coisas pra durar uma semana. Cada um de nós contribuiria com 150 reais, o que daria 900 reais de mercado. Na minha visão estava ótimo. O que eu não esperava era o que eles queriam comprar.

QUEM JÁ FOI COM AMIGOS NO SUPERMERCADO SABE COMO FUNCIONA. PRIMEIRO SÃO COMPRADAS AS BESTEIRAS TOTALMENTE INÚTEIS, CARAS E QUE NÃO ALIMENTAM NADA, PARA DEPOIS, COM O RESTO DO DINHEIRO, SEREM COMPRADAS AS COISAS REALMENTE ÚTEIS. QUANDO ME REFIRO AO RESTO DO DINHEIRO, É LITERALMENTE O RESTO.

POR ESTARMOS SOZINHOS NO SÍTIO, O OBJETIVO ACHO QUE ERA ACORDAR TOMANDO SHOT DE TEQUILA. Um dos meus amigos pegou dez garrafas, o que daria mais que uma garrafa por dia, só de vodca, fora outros destilados e cerveja. Como eu nunca bebi, vi meu dinheiro sendo jogado fora com aqueles litros e litros de bebida, mas fiquei na minha, apenas observando como aqueles 900 reais seriam gastos.

Depois de muita bebida, doces, salgadinhos, refrigerante, mais bebida, um pouco mais de bebida e uma última dose de bebida, meus amigos se ligaram que incrivelmente precisaríamos nos alimentar todos os dias, algo que as pessoas normais geralmente fazem pra sobreviver. Então, compramos alguns congelados, carnes e fomos pagar as compras.

Faltava pouco pra nossa viagem. Naquele dia dormimos todos na casa do dono do sítio. Iríamos de ônibus pra lá, então seria melhor estarmos todos juntos pra não perdermos a hora da viagem. No dia seguinte, acordamos e a mãe dele nos levou para a rodoviária. Ela não podia nem sonhar que 70% das compras eram bebidas. Uma mala foi somente para os destilados e cervejas, e, quando digo uma mala, não é uma simples mala, mas sim uma de rodinhas, daquelas que você usa pra passar um mês viajando. O resto das compras deixamos nos saquinhos do mercado mesmo. Lembro até hoje do que a mãe do meu amigo disse:

– OLHA SÓ, COMO É BOM VER QUE OS AMIGOS DO MEU FILHO SÃO CONSCIENTES. MUITO REFRIGERANTE, BESTEIRAS E CARNE. NÃO PRECISAM FICAR BÊBADOS PRA SE DIVERTIR!

Internamente dei risada da frase dela, afinal, a ideia dessas bebidas de monte nem tinha partido da gente, mas do próprio filho dela.

Chegamos na rodoviária, colocamos as malas no ônibus e partimos! Foram quase seis horas de viagem. Acho que eu já tinha ouvido três vezes minha playlist do celular. Pelo menos foi uma viagem tranquila, afinal era um ônibus com pessoas normais.

QUEM JÁ VIAJOU COM A ESCOLA SABE COMO É VIAJAR COM PESSOAS ANORMAIS. SÃO HORAS E HORAS TRANCADO NUM ÔNIBUS COM GAROTAS FALANDO ALTO, ADOLESCENTES DE PÉ FAZENDO BAGUNÇA, OUTROS JOGANDO COISAS NAS PESSOAS, OS DO FUNDÃO CANTANDO TOTALMENTE DESAFINADOS, OS DA FRENTE TENTANDO DORMIR E OS QUE JOGAM COISAS ACORDANDO ELES, OU SEJA, VIAGEM ESCOLAR É SEMPRE UM CAOS.

Depois de uma longa viagem, chegamos na rodoviária da cidade. Lá o caseiro do sítio nos buscou com uma caminhonete bem velha; só de olhar concluí que até um cavalo seria mais eficaz para transportar a gente. **TIVEMOS QUE FAZER TRÊS VIAGENS PARA CHEGAR TUDO NO SÍTIO, E, QUANDO DIGO TUDO, ME REFIRO A NÓS TAMBÉM. NÃO CABÍAMOS TODOS DE UMA VEZ, ENTÃO FOMOS POR PARTES.** Eu, como nunca tinha voz dentro de uma decisão coletiva, fiquei para a última viagem. Foram três horas na rodoviária esperando os carretos até o sítio. Quando finalmente chegou minha vez, só a minha vez – afinal, todos já estavam lá, fui literalmente o último a ser buscado –, o caseiro fez minha viagem ficar um pouco mais longa. Pra minha sorte, a caminhonete ficou sem gasolina, então, antes de irmos para o sítio, passamos em um posto pra abastecer. O caseiro saiu do carro, abriu o capô e começou a conversar com o frentista do posto sobre alguma coisa que eu não entendi. Nesses papos teóricos sobre mecânica sempre fui horrível. Com dezesseis anos meus amigos já estavam loucos pra dirigir, já eu estava louco pra ficar deitado pra sempre assistindo bons filmes com um estoque infinito de pipoca, refrigerante e milk-shake.

Enquanto eu esperava acabar o papo sobre bobina da ventoinha, parabibola do capô e mola biboca da superpirulhada, meu tédio já estava no limite máximo. De mecânica eu não entendia, mas de ver no painel quando já tinha enchido o tanque eu manjava. Olha, o tanque estava cheio há dez minutos e o papo do caseiro com o frentista não acabava. Depois de conversarem sobre mecânica, o papo repentinamente foi para o cunhado de um tal de Carlos e logo depois para a sobrinha do caseiro, que tinha se casado com o primo do frentista. Estava a coisa mais louca do mundo. De uma abastecida no carro, o caseiro e o frentista começaram a relembrar a infância deles. Nunca vi uma intimidade tão grande num local tão inusitado como um posto de gasolina. *ACHO QUE AS CIDADES DO INTERIOR TÊM UM NEGÓCIO NATURAL DE SEREM MAIS ACOLHEDORAS, E TODOS SABEM DA VIDA DE TODOS.*

Enfim, acho que eles só não sentaram pra tomar um café e comer um pão francês com manteiga porque não tinha mesa, mas, depois de quarenta minutos parados ali, o caseiro entrou no carro e falou:

– ETA, SÔ! COMO É BOM REVER ESSE CABRA!

Essa frase dele me marcou. Dei risada quando ele falou e logo partimos para o sítio, finalmente!

Quando cheguei, ainda reclamaram comigo, vê se pode. Disseram que eu tinha demorado e que eles já tinham arrumado tudo. Quase respondi o seguinte:

– DEMOREI PORQUE O CABRA DO SEU CASEIRO ACHOU O MELHOR AMIGO CABRA DELE E ENTÃO ELES FICARAM CONVERSANDO SOBRE OUTROS CABRAS QUE NÃO ACABAVAM MAIS!

Porém, como ninguém entenderia minha piada, fiquei quieto e pedi desculpas. Olha que idiota e submisso que eu era.

Entrando no quarto em que eu ficaria, cheguei à conclusão de que eles não tinham arrumado nada. Logo vi que, quando eles afirmaram que tinham organizado as coisas, na verdade eram as bebidas. Quando entrei na cozinha, tinha uma mesa só de bebidas. Parecia a Torre Eiffel; eles montaram algo realmente interessante ali. Assim que visualizei aquela obra-prima, um deles gritou:

– GALERA!!! ATÉ O FINAL DA VIAGEM O OBJETIVO É DAR CABO DE TUDO ISSO DAQUI!

Depois desse grito de guerra dele, meus outros amigos responderam com outro grito de guerra:

– ÉÉÉÉÉÉÉ!!!!!

Parecia uma torcida organizada gritando. Isso porque nem estavam bêbados; imagine se estivessem. Eu já estava com medo, sem saber aonde ia dar aquilo. Acho que agora vocês devem estar me achando um completo chato e antissocial. Na verdade, eu participava desses gritos de guerra deles, concordava que tínhamos que acabar com aquelas bebidas até o final da viagem e todo o resto que eles falavam. Internamente, minha vontade nunca era o que eu falava para os meus amigos. Acho que nessa fase da vida a gente nunca fala o que realmente pensa ou quer. Sempre tomamos decisões coletivas, afinal nunca queremos parecer o chato da turma.

ASSIM QUE ARRUMAMOS A CASA, UM DOS MENINOS ABRIU UMA VODCA E DISSE QUE DEVERÍAMOS VIRÁ-LA COMO COMEMORAÇÃO DA NOITE DE ESTREIA! TODOS VIBRARAM COM AQUELA IDEIA, E EU VIBREI JUNTO, MAS DEFINITIVAMENTE NÃO QUERIA BEBER VODCA PURA.

Fizemos uma rodinha e todos começaram a virar a garrafa. Era um gole por menino. Um dava um gole cheio e passava a garrafa para o que estava do lado. Meus goles estavam bem enganadores. Eu colocava um pouco na boca e enchia a bochecha de ar para fingir que estava bebendo. Em dez minutos a garrafa estava vazia. O efeito da vodca ainda não tinha batido para os meninos; estavam só animadinhos. Como eu era fraco pra bebida, os poucos goles enganadores que dei tinham me deixado bem animadinho na verdade.

Quando me dei conta, já estávamos ouvindo uma música bem alta, pulando no sofá, gritando e abrindo a segunda garrafa. Mesmo esquema, um gole por menino, bebeu, passa para o do lado. Nessa rodada, por eu já estar "feliz", dei os goles cheios.

ACHO QUE ESTÁ AÍ O MAIOR DEFEITO DO BÊBADO: QUANDO ELE ESTÁ BÊBADO E OFERECEM BEBIDA PRA ELE, É CLARO QUE VAI BEBER MAIS, ACHANDO QUE AINDA ESTÁ BEM.

Essa segunda garrafa deixou todo mundo muito louco. Imagine seis adolescentes bem idiotas pulando pela casa, falando alto, gritando. Não sei por quê, quando estamos bêbados, tudo fica completamente agitado ou completamente triste. Por isso que vejo dois tipos opostos de bêbados: aqueles que ficam muito felizes ou aqueles que ficam completamente chatos, críticos e mudos.

Acho que, no caso daquela noite, estavam todos num estágio muito feliz. Eu já estava vendo tudo embaçado, mesmo assim pulava como nunca tinha pulado na vida. Alguns dos meus amigos estavam na cozinha, alguns escolhendo outra música pra tocar e eu, muito tonto, estava dançando, ou melhor, achando que estava dançando, no ritmo da música que tocava.

Meu amigo colocou em seguida *Pursuit of Happiness*, do Kid Cudi; a festa estava a mil, mil tonturas, na verdade. A tontura abatia meu sentimento de felicidade, e, quando vi, meus amigos estavam abrindo a terceira garrafa de vodca. Eu achava que era brincadeira que iriam abrir mais uma, mas eles realmente queriam beber mais.

O ESQUEMA FOI IGUAL: RODINHA, BEBEU, PASSA PARA O DO LADO.

Dois de nós já não aguentavam mais, estavam deitados, mas o dono da casa ficou bravo, tirou eles do sofá e os obrigou a beber com a gente. Acho que, quando um garoto fala para o outro "Você é um viadinho!", vira questão de honra ir lá e mostrar que não é um "viadinho". Então, depois de serem atiçados, quase vomitando e com os olhos pesados, eles foram para a roda beber com a gente. Eu já nem sabia o que estava acontecendo. Meu olho já estava fechando também.

Aquela garrafa foi o ultimato para quase todos. Foi quando meu amigo decidiu abrir a tequila. E eu vi que daria merda. Alguns nem sabiam beber direito e já tinham bebido uma quantidade de vodca que dava pra abastecer uma balada de alcoólatras.

Um dos caras estava passando mal de verdade. Ele vomitou no chão todo da casa, a festinha saiu do estado diversão para o estado exagero. Ninguém estava ajudando os que passavam mal, pois estavam todos tão bêbados que nem conseguiam se mexer. Só que a tequila veio pra estragar tudo de vez. Misturar vodca e tequila só poderia dar merda.

QUEM JÁ PASSOU MAL COM BEBIDA SABE QUE MISTURAR É A PIOR COISA. EU ACEITEI BEBER A TEQUILA COM ELES E DIGO QUE FOI A PIOR IDEIA DA MINHA VIDA. FORAM QUATRO SHOTS PRA ME DEIXAR NUM ESTADO DEPLORÁVEL. MEU ESTÔMAGO ESTAVA VIRADO DO AVESSO, PARECIA QUE EU ESTAVA NUM BARCO E ESSE BARCO ESTAVA DENTRO DE UM TSUNAMI, TUDO MEXIA LOUCAMENTE, EU OLHAVA PRO CHÃO E O CHÃO VIRAVA O TETO. MINHA VISTA ESTAVA COMPLETAMENTE EMBAÇADA E MINHA PERNA NÃO OBEDECIA ÀS DIREÇÕES QUE EU DAVA PRA ELA.

Quem já chegou nesse estado sabe do que estou falando. Mas agora vou dizer uma coisa: eu era o menos bêbado da turma. Imaginem como estavam os outros.

Foi depois da tequila que a coisa desandou. Nunca imaginei que pudesse acontecer o que aconteceria a seguir. Eu ainda estava consciente, mas não conseguiria ajudar ninguém do jeito que estava.

Um dos meus amigos começou a gritar:

– GENTE, ME AJUDA! GENTE, ME AJUDA!

Eu não estava entendendo nada. Bêbado sempre solta umas frases sem sentido, então ignorei. A situação era que um estava vomitando, um deitado no chão, dois pulando e gritando e um falando "me ajuda!".

Eu estava no sofá olhando aquela situação bizarra em que a gente se encontrava quando de repente um dos meninos que estavam pulando saiu correndo e atravessou a porta de vidro da sala. A cena foi tão rápida que eu achei que a porta estivesse aberta, mas o barulho provou que não. Ele atravessou a porta e estourou o vidro.

Por incrível que pareça, ele ainda estava de pé quando levantei, totalmente tonto, para ver o que tinha acontecido. VI QUE A CARA DELE ESTAVA IGUAL À DA CARRIE NA ÚLTIMA CENA DO FILME. QUANDO EU FALEI "CARA, O SEU ROSTO ESTÁ CORTADO!", O MENINO PIROU! Foi a minha frase que fez efeito na reação dele, e não o fato de ver o seu sangue pelo chão. Acho que sempre é assim quando nos machucamos: enquanto não vemos o que aconteceu estamos bem, mas quando nos damos conta da situação é que a reação ocorre.

COMPLETAMENTE BÊBADO, ELE COMEÇOU A GRITAR E A CORRER PELA CASA. QUANDO VI, MEU

AMIGO QUE ESTAVA FALANDO "GENTE, ME AJUDA!" ESTAVA NO CHÃO TREMENDO. CORRI ATÉ ELE, OU MELHOR, TENTEI CORRER, MAS CAÍ NO MEIO DO CAMINHO DE TÃO BÊBADO QUE ESTAVA. ELE DEVIA ESTAR TENDO ALGUMA REAÇÃO ÀQUELA QUANTIDADE TODA DE BEBIDA.

Minha situação naquele momento era eu ajudando todos. Tínhamos um garoto ensanguentado correndo pela casa, dois dormindo, um pulando e dançando e um tremendo no chão. Como eu estava bêbado e nunca tinha lidado com uma situação daquelas, fiz o que me veio na cabeça: fiquei dando água na boca do meu amigo e o chacoalhei até ele acordar ou parar de tremer. Para minha felicidade, ele acordou e logo depois golfou na minha camiseta. Olha, bela forma de agradecimento dele; fiquei honrado.

Ele pediu desculpas, deu risada, virou de lado e dormiu. Bom, um caso foi solucionado. Agora, onde estaria o "garoto Carrie"?

Ele havia parado de gritar, então eu não sabia onde procurá-lo. Eu precisava deitar e acho que vomitar também. O efeito da felicidade já tinha acabado, o que me deixou bem arrependido antes mesmo de vir a terceira e pior fase da bebedeira, a ressaca.

Achei o cara dormindo no banheiro. O rosto, braços e pernas dele estavam cheios de pequenos cacos de vidro, o banheiro estava um mar de sangue, mas o sangue parecia que tinha parado de escorrer. Concluí, então, que não eram cortes fundos.

Quando percebi, já tinha amanhecido, minha cabeça estava explodindo. Olhando para o lado, vi que dormi do lado do meu amigo no banheiro. Com muita dor de cabeça, acordei ele.

ELE LEVANTOU PULANDO E COMEÇOU A GRITAR DE DOR. QUANDO SE VIU NO ESPELHO, FICOU DESESPERADO E EU MAIS AINDA, POIS TENHO PAVOR DE SANGUE. SIM, SOU DAQUELES QUE DESMAIAM QUANDO VÃO FAZER EXAME DE SANGUE NO LABORATÓRIO.

O sangue no corpo do meu amigo já tinha secado, mas precisávamos urgentemente tirar aquele monte de caquinhos da pele dele. Fomos pra sala ver o que faríamos e também conversar com os outros. O cara estava reclamando que o corpo inteiro dele ardia, e eu respondi que arder era o de menos, pois ele atravessou um vidro... Só arder era o de menos.

Quando cheguei na sala, pra nossa surpresa, parece que a noite passada já tinha sido descoberta.

OS PAIS DO MEU AMIGO ESTAVAM LÁ COM OS OUTROS QUATRO MENINOS. Não entendi por que eles estavam lá e quem tinha chamado eles. Logo vi o caseiro de canto na sala e deduzi que tinha sido "o cabra" que chamou eles. Sim, apelidei internamente o caseiro de cabra. Eu sei que vocês gostaram desse apelido.

OS PAIS DO MEU AMIGO ESTAVAM LOUCOS, MUITO BRAVOS, NÃO SÓ COM O FILHO, MAS COM A GENTE TAMBÉM. Fomos chamados de irresponsáveis, idiotas, crianças, imaturos, moleques, entre outros milhares de coisas. Mas, quando a mãe viu o filho coberto de cacos de vidro e sangue seco pelo corpo, amaciou um pouco. Acho que ela não tinha percebido que o filho estava com sangue. Na verdade era difícil não perceber... Só se ela achou que ele estava fazendo cosplay de índio e pintou a pele de vermelho com sementes, vai saber.

Os pais, quando descobrem que o filho fez algo de errado, primeiro dão a bronca e depois abraçam, não é assim? Primeiro vem a lição de moral e depois o clássico "eu só quero o seu bem". Acho que, quando os pais se zangam, eles seguem um padrão igual a todos os outros pais.

Todos os meus amigos estavam sentados com cara de ressaca no sofá; a animação era zero. Fui ver então como estava aquele que havia tremido loucamente na noite anterior. Ele disse que estava bem e deu um pequeno sorriso. Quando ele abriu a boca, eu perguntei:

– CARA, CADÊ O SEU DENTE?!

O menino estava sem a metade do dente da frente. Minha reação foi tão espontânea que acabei falando alto demais. Todos reagiram juntos e perguntaram pra mim e não pra ele:

– QUE DENTE, CHRIS?

Tive que explicar para todos e mandar meu amigo abrir a boca e mostrar aquela janela que se abriu no sorriso dele.

Agora a situação estava linda: um amigo todo rasgado, um sem dente, todos de ressaca e os pais dando mais lição de moral ainda.

Não sei quando aquele dente quebrou, mas com certeza posso dizer que, mesmo eu achando que estava consciente na noite anterior, perdi muita coisa. É como se tivesse rolado uma amnésia de algumas partes. A pergunta agora era: "Como ele perdeu esse maldito dente?!".

A HISTÓRIA FICOU ENGRAÇADA QUANDO O DENTE DELE FOI ACHADO DENTRO DA GELADEIRA, NO POTE DE MANTEIGA. COMO UM PEDAÇO DE DENTE FOI PARAR DENTRO DE UM POTE DE MANTEIGA?!

O pai do meu amigo havia levado o filho para o hospital da cidade próxima para tirar os cacos do corpo, os outros pegaram no sono deitados no sofá, tamanha era a ressaca dos caras, e a mãe do meu amigo estava na cozinha fazendo algo decente pra comermos. Fiquei acordado esperando a comida, pois realmente estava com fome depois disso tudo.

Acho que, lembrando disso hoje, posso dizer que adolescente não sabe beber. Na verdade, não é "não saber beber", é não saber dosar a ponto de fazer uma linha de começo e fim. É sempre assim: existe o começo mas não existe o fim. Esse fim ainda fica mais longe quando não temos a presença de adultos, nos sentimos livres pra tudo e é aí que a merda acontece. Eu definitivamente não me perdoaria se algo pior tivesse acontecido naquela noite, afinal bebi pelos meus amigos e não por mim, assim como muitos adolescentes fazem nessa fase.

SÓ DIGO UMA COISA: NÃO USEM A BEBIDA PARA SEREM ACEITOS NUM GRUPINHO.

Essa pode parecer a saída às vezes, mas faça o que vem no seu coração e não o que dizem pra você fazer. Nessa idade a gente quer atenção e aprovação dos outros, então, usar algo que não vem de você pra ser aprovado e aceito é babaquice.

Posso dizer que essa foi a única e última vez que bebi pra me incluir no grupo. Afinal, eu já era amigo deles, não precisava fazer algo de que eu não gostava pra ser aceito onde eu já era aceito.

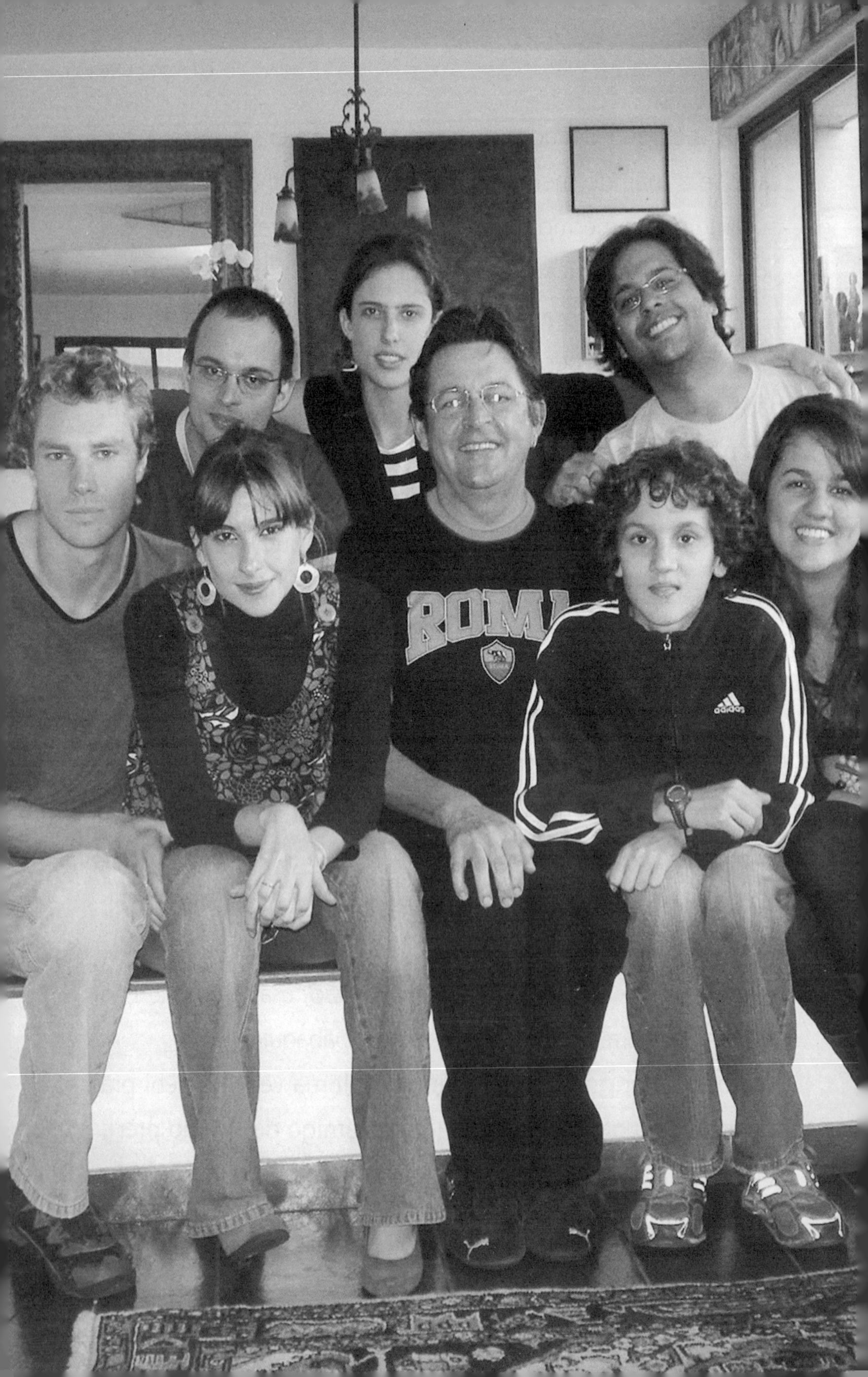
ROMA
adidas

7

EU NUNCA GOSTEI DE FINAL DE ANO EM FAMÍLIA, EM ESPECÍFICO O NATAL. A FESTA SEMPRE ACABA COM OS TIOS BÊBADOS CONVERSANDO NAQUELE TOM DE VOZ QUE DE LONGE VEMOS QUE A PESSOA ESTÁ BÊBADA E ACHANDO QUE TEM QUARENTA ANOS A MENOS, AS TIAS FALANDO ALTO NA SALA SOBRE OS PLANOS DE VIDA E DE COMO TUDO MUDOU, QUE O TEMPO PASSA RÁPIDO E COMO OS FILHOS CRESCERAM. NOSSAS MÃES GERALMENTE ESTÃO NESSE GRUPO DE TIAS. JÁ OS PRIMOS E IRMÃOS FICAM COM SONO NO SOFÁ ESPERANDO OS PAIS FALAREM "VAMOS EMBORA!".

Acho que, quando somos crianças, o Natal é o maior acontecimento de todos:

ganhamos presentes de todo mundo, o Papai Noel nos dá o melhor presente da festa, a família está reunida e animada e é só alegria. Depois que crescemos, não ganhamos presente de mais ninguém, descobrimos que o Papai Noel são os nossos pais, ou seja, toda a magia do presente especial morre, e os familiares, que antes achávamos que estavam animados e contentes, na verdade estavam bêbados.

EU SEI, ESTOU FATALISTA EM RELAÇÃO AO FINAL DO ANO, NÃO É MESMO? Mas vou continuar sendo, pois comer arroz com uva-passa na ceia natalina ninguém merece. Sou daquelas pessoas que já são chatas pra comer, e na ceia natalina temos muitas opções de comida, geralmente feitas com ingredientes que eu gosto, mas misturados de maneira errada. Afinal, pra que juntar frango com mel? Arroz com uva-passa? Odeio esse negócio de misturar o doce com o salgado. Arroz com amêndoa, arroz com champanhe, arroz com damasco, lentilha, laranja. Natal é a festa do arroz anormal.

Apesar de hoje em dia eu ser um mala sem alça em relação à palavra "Natal", lembro quando meu tio se fantasiava de Papai Noel pra entregar os presentes às crianças. Eu devia ter uns sete anos quando a história a seguir aconteceu...

Era dia 24 de dezembro. À meia-noite nós sempre fazíamos o ritual de abrir presentes e a minha tia dava um depoimento de como os encontros familiares eram importantes. **TODAS AS CRIANÇAS DA FESTA FICAVAM EMBAIXO DA ÁRVORE ASSIM QUE CHEGAVAM NA CASA DA MINHA TIA. ERA UMA ÁRVORE LINDA QUE ELES MONTAVAM, PARECIA DE FILME. A GENTE FICAVA LÁ EMBAIXO OLHANDO OS PACOTES DE PRESENTES E PENSANDO NO QUE IRÍAMOS GANHAR DOS FAMILIARES, MAS, NA VERDADE, O QUE REALMENTE QUERÍAMOS ERAM OS PRESENTES DO PAPAI NOEL, QUE SÓ CHEGAVA MEIA-NOITE E MEIA.** Esse horário foi sempre muito pontual, por isso me marcou tanto. Meu tio era gordo e tinha uma roupa perfeita de Papai Noel. Ele a vestia e colocava uma barba falsa superbonita e logo depois enchia um saco vermelho com os presentes que seriam simulados como sendo do Papai Noel.

Enfim, as horas passaram e finalmente deu meia-noite. Corremos todos pra árvore e começamos a abrir os presentes. Minha tia sempre anunciava o nome que estava no embrulho e o respectivo dono ia buscar em seguida. Eu ficava com os olhinhos brilhando esperando chegar a minha vez de ir lá buscar os pacotes.

O menor pacote era sempre dado pela minha vó, mas esse era sempre o mais legal, não digo mais legal na época, mas seria o mais legal hoje em dia. Ela colocava dinheiro em envelopes vermelhos e dava pra todos os netos. Os mais velhos ganhavam mais, os mais novos, menos. Ela sempre me dava algo em torno de quarenta reais e, olha, era muita grana para um menino da minha idade. Porém, o que eu mais esperava na verdade, nas noites de Natal, era o Papai Noel. Finalmente bateu o horário em que ele chegaria, mas, naquele dia, não chegou pontualmente. Aliás, ainda iria demorar muito.

PASSOU UMA HORA E NADA DE PAPAI NOEL. LOGO COMECEI A NOTAR QUE OS ADULTOS ESTAVAM PREOCUPADOS, TODOS LIGANDO PRA ALGUÉM E COCHICHANDO. LEMBRO ATÉ HOJE DESSA CENA.

Os adultos, quando querem ser misteriosos, conseguem. Acho que existe um curso que os filhos não conhecem onde os pais vão pra aprender a fazer a situação de mistério perfeita para os filhos. Sempre que eu queria saber de alguma coisa, ou, então, sempre que algo havia acontecido e minha mãe não queria contar, ela falava: "Está tudo bem, relaxa, filho!". Essa frase clássica é pra deixar qualquer filho com a pulga atrás da orelha.

Quase duas da manhã, a porta da frente abriu, meus olhos brilharam, era o Papai Noel! Todos da festa olharam para a porta, as crianças estavam felizes, mas os adultos tinham um olhar bem sério e misterioso.

Lembro da primeira frase que o Papai Noel disse naquele momento:

– PUTA MERDA!!!

A segunda frase foi algo como:

– ME ROUBARAM NESSA MERDA, DESCULPEM O ATRASO!

Puta merda digo eu! Quem rouba o Papai Noel? Ninguém pode subir no trenó dele, que por sinal é voador, e falar: "Perdeu, vovozinho, passa toda a mercadoria, vacilão!".

Logo depois de falar isso, com um ar ofegante, o Papai Noel tirou a sua barba apenas puxando ela da face. Aquilo foi bizarro pra mim; foi a minha primeira imagem do que era se barbear. Parecia tão fácil, não entendi por que meu pai passava aquele negócio com lâmina, vulgo barbeador, se era só puxar a barba e pronto. Depois o Papai Noel tirou a blusa vermelha, o chapéu e o cabelo branco. Posso dizer que aquela transformação toda na frente das crianças estava sendo um choque. Era como a transformação de um Power Ranger, antes sendo um Power Ranger vermelho e, de repente, virando meu tio calvo e gordo. Sim, naquele momento vi que o Papai Noel era meu tio, fiquei muito abalado e perguntei pra minha mãe, que estava do meu lado, por que ele estava vestido de Papai Noel. Ela me enrolou completamente e me mandou ir pra sala junto com as outras crianças.

As mães, quando não sabem o que falar, inventam algo que até uma criança de sete anos vê que é mentira. Lembro que ela falou algo como:

– CHRIS, SEU TIO É MUITO AMIGÃO DO PAPAI NOEL. HOJE O NOEL FICOU DOENTE E PEDIU PARA O SEU TIO VIR AQUI ENTREGAR OS PRESENTES!

Só podia estar de brincadeira com a minha cara, não é mesmo? Desde quando Papai Noel ficava doente e mandava meu tio gordo entregar presentes? Se fosse pra escolher alguém para substituí-lo, em último da lista estaria o meu tio.

O TEMPO PASSOU E EU NUNCA ENTENDI AQUELA HISTÓRIA DELE DE TER SIDO ROUBADO E POR QUE ELE SE DESMASCAROU NA FRENTE DE TODOS E QUEBROU

A MAGIA DO NATAL PRA MIM NA ÉPOCA. Fui, então, com doze anos, perguntar pra minha mãe por que o meu tio tirou a roupa de Papai Noel naquela noite. Minha memória daquele Natal era somente essa, estava tudo meio vago na minha cabeça, mas que o meu tio era o Papai Noel estava bem claro. Assim que lembrei e tive a curiosidade de perguntar, uns cinco anos depois, minha mãe me contou o que aconteceu.

O carro do meu tio havia sido roubado na frente da casa dele enquanto se trocava e botava a roupa do Papai Noel. Eu tenho dois tios, o que era o Papai Noel e o dono da casa onde fazíamos as reuniões de família. Meu tio que era o Papai Noel morava ali perto, então ele sempre saía da festa, ia pra casa dele, se trocava, juntava os presentes e voltava pra festa. Nesse dia, o carro dele foi roubado com tudo dentro. Ele demorou porque voltou andando pra festa vestido ridiculamente de Papai Noel.

Hoje em dia, imaginar a cena de um gordo correndo à meia-noite nas ruas de São Paulo, vestido de Papai Noel, suando e puto da vida por terem roubado seu carro me faz esquecer e perdoá-lo pelo fato de eu ter descoberto que o Papai Noel não existia. O que ele passou naquele dia foi muito engraçado, e o humor vem antes de qualquer crença em lendas urbanas.

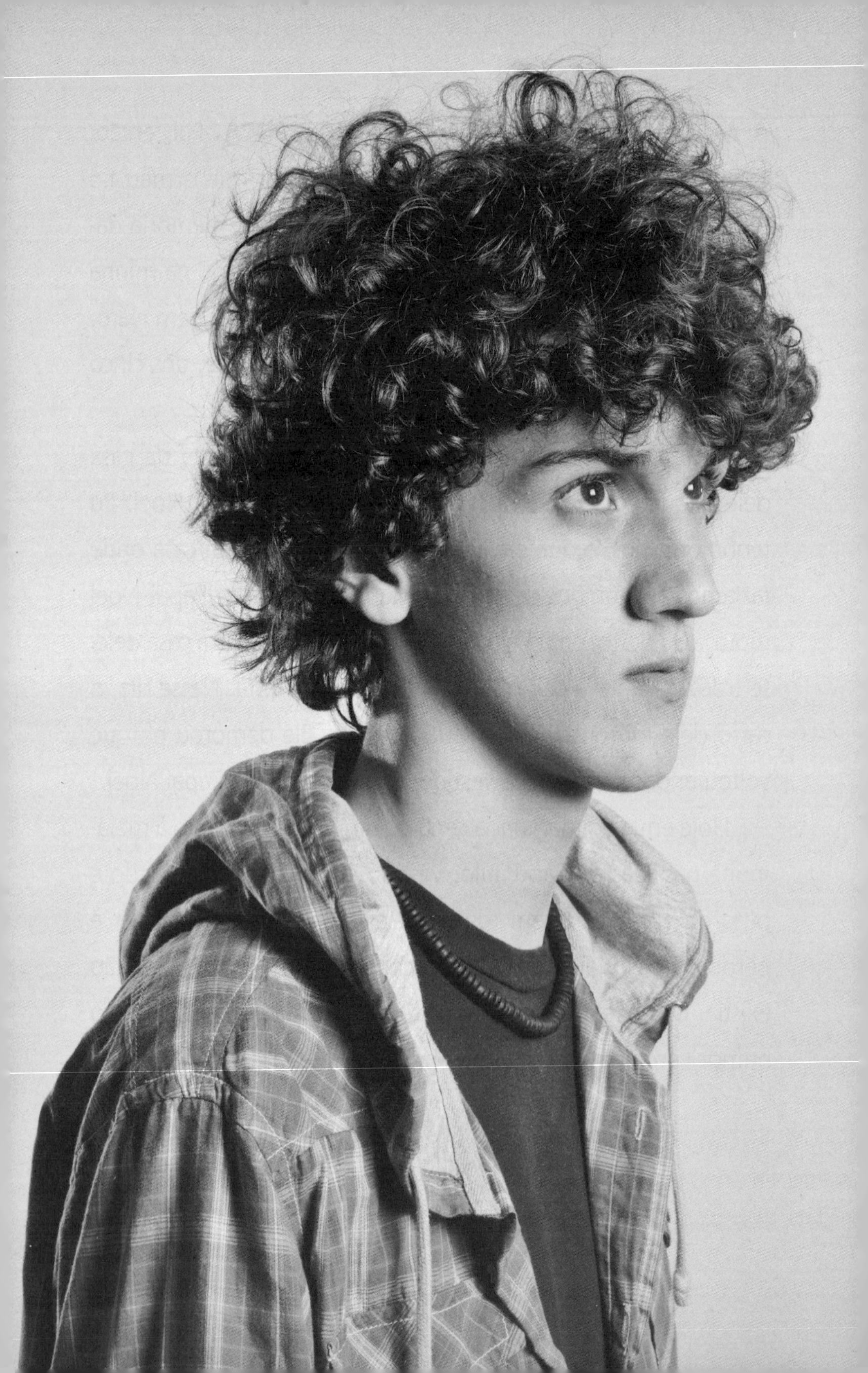

8

COMO EU HAVIA DITO PARA VOCÊS, NA ADOLESCÊNCIA SEMPRE BUSCAMOS A APROVAÇÃO DOS OUTROS. QUASE TUDO O QUE FAZEMOS É BUSCANDO QUE ALGUÉM OLHE PRA GENTE E NOS ELOGIE, MESMO QUE COM O OLHAR. POSTAMOS FOTOS APENAS PARA RECEBERMOS CURTIDAS NELAS, EXIBINDO OS LUGARES EM QUE ESTAMOS E MOSTRANDO QUE ESTAMOS NOS DIVERTINDO – ÀS VEZES SÓ NA FOTO, NA VERDADE, POIS O ROLÊ PODE ESTAR O MAIS CHATO DE TODOS. ENFIM, QUEREMOS MOSTRAR QUE TEMOS A VIDA PERFEITA E QUEREMOS QUE OS OUTROS ASSISTAM E CURTAM ESSA VIDA QUE TEMOS, MAS NEM SEMPRE ESTÁ TÃO PERFEITA ASSIM.

Nessa fase de aprovação e de querer ser o melhor em algo para me admirarem, tive minha vontade de "querer ser famoso". Sei que vários de vocês já quiseram ou querem ser famosos e ricos, não é mesmo? Achei que, sendo famoso, tudo mudaria na minha vida. Me tratariam bem na escola, puxariam meu saco, eu teria centenas de garotas aos meus pés. Sim, adolescente que sonha ser rico e famoso tem os pensamentos mais minimalistas do mundo. A gente não sonha investir o dinheiro, fazer um patrimônio ou ajudar pessoas. Sonhamos, na verdade, ter coisas que impressionem os outros. Fim.

Perguntei na época para o meu pai o que eu precisava fazer pra aparecer em uma novela. Notem exatamente o que eu perguntei: "aparecer" e não "atuar". Meu pai respondeu que tudo era feito por meio de testes de elenco, ele não sabia muito bem como funcionava, então pesquisei a respeito e anotei o nome de alguns lugares em São Paulo que faziam agenciamento de atores. Agendei uma visita em algumas para avaliarem meu perfil e verem se eu levava jeito pra coisa.

ESTAVA TUDO CORRENDO BEM. PARECIA FÁCIL ATÉ AÍ: SÓ LIGAR PARA AGÊNCIAS DE ATORES E FAZER ENTREVISTAS? TRANQUILO.

Depois de umas cinco entrevistas em diferentes agências, fui aceito em apenas uma. Os testes que eles faziam eram basicamente primeiro uma conversa, depois fotos pra ver se você era carismático, espontâneo e essas baboseiras que sabemos que sem elas não entramos na TV, e, por último, um teste de atuação em cima de um tema. Minha mãe, sendo muito coruja e tendo me levado em todos os testes, na hora da atuação ficava falando em cima do avaliador:

– NOSSA, ELE SEMPRE FOI TALENTOSO. OLHA LÁ... QUE ESPETÁCULO!

Uma semana depois eu já tinha a resposta de todas as agências, e ter sido aceito em apenas uma me deixou bem complexado quanto ao meu perfil perante o mundo da televisão. Se as agências de atores me eliminaram assim, imagina a TV.

PORÉM, O QUE EU NÃO IMAGINAVA ERA A FASE SEGUINTE. PARA MIM, DEPOIS DE ESTAR NA AGÊNCIA, O SUCESSO JÁ COMEÇARIA AOS POUCOS: COMERCIAIS, FIGURAÇÃO, MINISSÉRIES, E, POR FIM, NOVELAS. JÁ NA PRIMEIRA SEMANA NO ELENCO DAQUELA AGÊNCIA, ME CHAMARAM PARA O TESTE DE UM COMERCIAL.

Quando te oferecem um teste, sempre ligam falando o cachê, os dias de gravação do comercial e os horários. Eu já achava que tinha sido escolhido e que iria estrelar no comercial, mas me desiludi quando descobri que, junto comigo, trocentas outras pessoas concorreriam ao papel. Meu primeiro teste foi para um comercial de refrigerante. No dia em que recebi a ligação da agência e me falaram que eu receberia seis mil reais pra aparecer trinta segundos em um comercial, delirei! Mas, quando cheguei no local do teste, havia uma fila de uns trezentos meninos para o mesmo papel. Essa é a hora em que olhamos para o céu e falamos: "Ô, Deus! Qual a chance que eu tenho no meio desses caras?! Só se eu matar todos eles".

EU NÃO TINHA EXPERIÊNCIA NENHUMA NA FRENTE DAS CÂMERAS, ERA TÍMIDO EM PÚBLICO E NÃO TINHA NENHUMA NOÇÃO DE ATUAÇÃO EM CIMA DE UM TEXTO.

Lembro até hoje da fala que me foi passada na hora do teste:

– ELA ESTÁ MUITO GOSTOSA, MAS NÃO MAIS GOSTOSA QUE ESSE REFRIGERANTE AQUI!

Quando chegou a hora do teste, vi todo aquele equipamento, diretor, assistente, produtor, figurinista, acho que no total tinha umas dez pessoas na sala olhando pra mim.

Simplesmente travei, esqueci o texto, esqueci quem eu era e esqueci o que estava fazendo ali.

Acho que sob pressão, em qualquer circunstância, nós esquecemos de tudo o que sabemos, não é mesmo? Lembro na hora das provas escolares. Mesmo tendo estudado tudo, o medo de não ir bem era tanto que, quando o professor entregava aqueles papéis com milhares de perguntas, dava um branco que não importava o tanto de tinta que jogassem na minha cabeça: ela continuaria em branco.

Fui tão mal no teste que o meu foi o mais rápido de todos. A média que as pessoas ficavam no estúdio era de dez a quinze minutos. Eu fiquei três. Foi o tempo de entrar, me posicionar, falar uma vez a frase do roteiro e ouvir:

– OK, JÁ TEMOS O SUFICIENTE. OBRIGADO.

Não sabia que era tão difícil pegar um papel em algum comercial, imagine na televisão. Eu não imaginava como era esse processo de testes, descobri fazendo. Aquela dor de cabeça de ir até o estúdio, ficar numa fila gigante, ser só um número em uma folha para a chamada na hora do teste e, depois disso tudo, não pegar o papel. Na época eu perdia pelo menos cinco horas no processo todo entre sair de casa e voltar.

Depois de cinco meses, eu não havia pegado nenhum trabalho ainda. Eu já deveria ter feito pelo menos uns cem testes, e mesmo assim ninguém me chamava para os papéis. Aquilo realmente me desanimava a seguir nesse caminho. Porém, lembro que fiz um teste que me marcou até hoje, não só por ter sido o último da minha "carreira", mas também pelo que aconteceu no dia.

ERA UM TESTE PARA FIGURAÇÃO EM UMA NOVELA. NUMA CENA DE BASQUETE, EU SERIA DA CLASSE ADVERSÁRIA À DO MENINO DA NOVELA. SIM, UMA PARTICIPAÇÃO DE MERDA, MAS QUALQUER COISA NA TELEVISÃO JÁ SERIA O MAIOR ACONTECIMENTO DA MINHA VIDA.

Me vestiram de jogador de basquete – pelo menos, né? De Batman é que não seria. Escrevo umas coisas tão óbvias que até me impressiono com essa capacidade.

Para esse teste tinha somente vinte meninos. Fiquei até feliz, pois as chances de pegar o papel aumentaram. Eu nunca havia concorrido com menos de cem pessoas.

Depois de alguns minutos de espera, fui chamado. O coração foi a mil. Mesmo já tendo pós-graduação em fazer testes, eu ainda ficava nervoso. A blusa de basquete que me deram pra vestir estava até molhada de tanto que eu suei de medo e ansiedade.

A AÇÃO ERA SIMPLES: EU TERIA QUE FALAR COM UMA VOZ DE BRAVO: "VOCÊS VÃO PERDER!", COMEÇAR A BATER A BOLA NO CHÃO, SIMULANDO ALGUNS DRIBLES, E ENTÃO ARREMESSAR NA MÃO DA ASSISTENTE DE DIREÇÃO FINGINDO QUE ERA UM ARREMESSO PARA A CESTA.

Na hora H, me posicionei na marca vermelha onde o diretor pediu pra ficar, segurei firme a bola e, no "ação", comecei a fazer o que haviam me pedido. Me movimentei para um lado, para o outro e fiz uma expressão de jogador de basquete. Bom, na verdade eu não sei qual seria essa expressão, então fiz uma cara de merda qualquer.

Chegou, então, a hora do arremesso da bola. Foquei na assistente do diretor e arremessei. Porém, sou totalmente azarado e horrível em todos os esportes, e isso inclui arremessar bolas de basquete em testes de elenco. Arremessei teoricamente pra ir na mão da assistente, mas a bola fez uma pequena curva e pegou menos força do que eu botei nela, bem menos força. Depois de fazer a curva do milênio, a bola caiu bem na cabeça do diretor, sim, isso mesmo que vocês leram, na cabeça do homem! E uma bola de basquete, cá entre nós, não é leve.

Assim que ela caiu na cabeça dele, a cadeira do diretor, por ser alta, foi pra trás com o impulso do susto. Ele ficou desesperado e mexeu o corpo todo, muito desengonçado. Acabou dando um chutão no tripé. Então, nesse momento, duas coisas acabaram caindo no chão, o diretor e a câmera. Os dois caíram ao mesmo tempo; um fez barulho de quebrado e o outro de dor.

Depois de ver que causei aquele pequenino acidente, corri dali, literalmente. Tirei a roupa do figurino no meio do caminho, chamei meu pai na recepção e fomos embora na pressa.

Lembro que meu pai perguntou como foi o teste e se eu tinha chance de pegar o trabalho. Eu só respondi:

– PAI, TENHO CHANCE, SIM. CHANCE DE SER PRESO!

Depois dessa, nunca mais fiz nenhum teste. Traumatizei desse mundo de televisão e comerciais. Me chamaram ainda pra mais testes, mas eu cansei. Era uma merda ficar horas e horas esperando no meio de centenas de pessoas pra fazer uma ceninha de cinco minutos na frente da câmera, se não menos, ser supermaltratado, como se fosse só mais um, tirar o figurino e esperar um telefonema pra quem sabe pegar um trabalho.

9

A PRIMEIRA VEZ É SEMPRE ALGO INESQUECÍVEL. FALAM QUE PARA AS MULHERES ESSE MOMENTO É REALMENTE IMPORTANTE, MAS POSSO DIZER QUE PARA AMBOS, HOMENS E MULHERES, A PRIMEIRA VEZ EM QUE FAZEMOS SEXO... NUNCA ESQUECEMOS. PORTANTO, CONCLUINDO, MINHA PRIMEIRA VEZ NÃO ESQUEÇO ATÉ HOJE!
NÃO TEM COMO DIZER QUE QUANDO ACONTECE PELA PRIMEIRA VEZ É ALGO INCRÍVEL. NA MAIOR PARTE DOS CASOS SERÁ UMA FRUSTRAÇÃO TOTAL, UMA MERDA E ALGO BEM DIFERENTE DO QUE VOCÊS IMAGINAVAM.

PARA AS MULHERES COM CERTEZA, AFINAL, EXISTE TODA AQUELA IDEALIZAÇÃO DELAS EM CIMA DO CARA PERFEITO, DO MOMENTO PERFEITO, DO DIA PERFEITO... E O PERFEITO ACABA FICANDO SÓ NA EXPECTATIVA MESMO. QUANDO ACONTECE DE VERDADE, É PARA DESTRUIR QUALQUER IDEALIZAÇÃO QUE ELAS TINHAM.

Para os homens também é completamente diferente do que imaginamos, afinal, desde os doze anos mais ou menos estamos lá no "cinco contra um", se é que vocês me entendem, e, quando temos a função de encarar o ato de verdade e sair do treino, a coisa muda.

Posso garantir que a primeira vez é uma frustração para os homens. Não duramos muito tempo pelo simples fato de que era muita expectativa e ansiedade, e isso faz com que os dez minutos que poderíamos aguentar caiam para dois – eu posso garantir até mesmo por experiência própria. Você também nunca fez antes, então o medo de que algo dê errado é maior que tudo, podendo resultar numa infeliz brochada. Você precisa colocar a camisinha, sendo que nunca havia colocado uma antes, e partir pra ação, o que também pode resultar numa brochada. Enfim, são diversas situações na primeira vez que a fazem ser totalmente estranha, constrangedora e um pouco bosta.

ACHO QUE, QUANDO O GAROTO E A GAROTA VÃO PERDER A VIRGINDADE JUNTOS, O MEDO SEMPRE É MAIOR. AGORA, SE A GAROTA JÁ FEZ E O CARA É VIRGEM... Acho essa situação mais difícil, mas, se acontecer, a menina vai saber auxiliar o garoto, tranquilizar ele nesse nervosismo todo, fazê-lo relaxar e, claro, não vai esperar que ele faça tudo. Já quando o garoto não é mais virgem e a garota é virgem, até pode rolar a fantasia de idealização da menina, afinal o cara não estará preocupado com algo que pode dar errado: ele vai se concentrar somente em deixar o clima perfeito para que ela goste

Mas posso dizer que, se a primeira vez foi ruim, os homens superam e esquecem. É só mais uma gozada na nossa vida. O que é mais uma no meio de milhões, não é mesmo? Para as mulheres a coisa muda: é uma primeira vez que vai abrir a passagem para as próximas. Mas essa primeira vez é o momento em que, falando diretamente, você perde o cabaço. Não dá pra esquecer isso como os homens.

Vamos agora ao que vocês realmente querem ler: sobre a minha primeira vez. Não vou dar minha opinião sobre ela antes de contar nem vou falar depois. Vocês mesmos cheguem às suas próprias conclusões sobre tudo que virá a seguir.

Posso me orgulhar de ter sido com uma menina que eu conhecia. Ela era linda, tinha um corpo perfeito e sabia o que estava fazendo. Como consegui essa proeza? Não faço a mínima ideia.

Eu tinha acabado de fazer dezessete anos, uma idade tardia para a primeira vez quando se é homem. Todos os meus amigos já haviam feito, não só uma vez, mas várias. Na verdade, eu me orgulhava, pois muitos deles pagaram pra ter a primeira vez. Já eu, mesmo querendo muito saber como era, não paguei. Talvez por falta de dinheiro mesmo. Brincadeira. Não paguei porque realmente queria que fosse no momento certo e não acelerando tudo, por impulso.

APESAR DE NÃO TER ACONTECIDO DE FORMA IMPULSIVA E COM QUALQUER UMA, FOI NUM LUGAR MUITO CLICHÊ, EM UMA FESTA. UM MENINO DA MINHA CLASSE CONVIDOU VÁRIOS AMIGOS PRA UMA SOCIAL NA CASA DELE. OS PAIS TINHAM VIAJADO, ENTÃO FICOU TUDO LIBERADO PRA FARRA.

Acho que existem dois tipos de filhos: os que quando estão sozinhos em casa dão festas e fazem as maiores loucuras longe da vista dos pais e aqueles que viram ursos em processo de hibernação, se isolam em casa, só comem tranqueira e não fazem nada na escola ou faculdade. Espero que, quando eu tiver um filho, ele seja o urso; não gostaria de chegar em casa e ver camisinhas pelo chão, coisas quebradas e sentir cheiro de vômito.

Quando eu ia para as festas, nunca me soltava totalmente. **SEMPRE FUI MEIO BICHO DO MATO NESSAS OCASIÕES: NÃO BEBIA, NÃO FUMAVA, NÃO DANÇAVA, OU SEJA, NÃO CURTIA.** Porém, quando me falavam que teria garotas bonitas, eu não pensava duas vezes: fazia um esforço e saía da minha toca. Sempre fui meio obcecado quando se tratava de garotas, já que quase nunca conseguia ficar com alguém — na verdade, nunca. Sempre que pintavam essas festas, eu ia pra quem sabe conseguir uns beijinhos e, por ser tímido na hora de chegar na menina e puxar um assunto, acabava ficando zerado na noite. Sempre!

Meus amigos tentavam me empurrar bebidas, mas sou do tipo que, depois do primeiro copo de destilado, quando vou ver, estou acordando no dia seguinte, com dor de cabeça e em cima do meu próprio vômito. Perco totalmente o controle quando me dão bebidas, sou muito fraco, então um copo já me deixa animado e me faz beber o segundo, terceiro, quarto, quinto e de repente já ferrou tudo.

A festa estava lotada. Minha classe toda estava lá; muitas pessoas que eu não conhecia também tinham ido. Eis, então, que reencontro uma menina que estudou comigo no primeiro ano do ensino fundamental. Ela estava igualzinha, só que não cheirava mais a talco nem tomava leitinho morno no intervalo da aula.

COMO EU PODERIA TER RECONHECIDO UMA MENINA QUE EU NÃO VIA HÁ PELO MENOS UNS DEZ ANOS, OU SEJA, QUASE A MINHA VIDA INTEIRA? LEMBRO ATÉ HOJE DO MOMENTO EM QUE FUI CONFIRMAR SE ERA ELA MESMA. DESDE O INSTANTE QUE ELA HAVIA CHEGADO NA FESTA, TIVE A SENSAÇÃO QUE CONHECIA AQUELA GAROTA DE ALGUM LUGAR.

Sabe aquela sensação de quando vemos alguém que temos certeza de já ter visto antes ou até mesmo conversado, mas não lembramos de onde? Era exatamente o que eu estava sentindo naquele momento. De onde eu conhecia aquela menina? Ela era tão linda que até desconfiei de ter conhecido algum dia, afinal eu não era um homem de muitas. Na verdade, era um homem de nenhuma.

Muito tímido, enrolei pelo menos duas horas pra ir falar com ela. Quando tomei coragem, não pensei duas vezes: saí da roda de amigos e fui no grupinho em que ela se encontrava.

Não sei por que existe esse negócio de "rodinha". Tenho um medo enorme de me entrosar numa roda de meninas, na verdade sempre tive. Afinal, as meninas sempre estão em três ou quatro, às vezes até mais, e, quando um garoto quer ficar com alguma delas, tem que invadir a rodinha, fazer elas pararem de conversar e tentar tirar a menina da roda de amigas. É uma função difícil, eu diria que quase uma missão impossível.

FUI ATÉ A RODA EM QUE ELA ESTAVA E SOLTEI UM "OI".

Ela deu um "oi" com um ar de estranhamento e ficou me encarando. Acho que percebeu que nós nos conhecíamos. Fiquei feliz com a reação que ela teve, pois demonstrou que eu não estava ficando louco, achando que conhecia alguém que nunca vi na vida. Depois de alguns segundos um encarando o outro, perguntei onde ela estudava, pois já tinha visto aquele rostinho em algum lugar. Obviamente os colégios não bateram, então comecei a desenvolver outras conversas com ela. Quando vi, já não estávamos mais no meio do grupo de amigas dela. Na verdade estávamos totalmente sozinhos, conversando. Fiquei contente, pois não é sempre que de primeira um macho consegue tirar uma fêmea do seu grupo de amigas leoas! Tá, acho que me empolguei aqui na descrição dos fatos.

PAPO VAI, PAPO VEM, DESCOBRI QUE ELA ESTUDOU NA MESMA ESCOLA QUE EU QUANDO ÉRAMOS CRIANÇAS, HAVÍAMOS FEITO O PRÉ E O PRIMEIRO ANO JUNTOS. ASSIM QUE DESCOBRIMOS ISSO, SOLTEI UM GRITO: "EU SABIA!".

Ela deu risada da minha espontaneidade e foi aí que o papo não parou mais. Conversamos durante uma hora, mas ela me cortou em certo momento e falou para irmos buscar mais bebida. Fingi que bebia e pensei: "Me leva aonde quiser".

Para uma menina, a gente nunca deixa de fazer alguma coisa. Se um garoto não faz algo e a menina quer fazer, ele começa a fazer só para conquistá-la. Esse é o processo da arte da conquista. Porém, começou a namorar, lascou. Você vê que na verdade era tudo golpe pra te conquistar. Naquele momento, me passei por descontraído, animado, bebedor, extrovertido e galã. Afinal, a cada palavra dela eu já jogava uma indireta de que eu realmente queria ficar com ela. Nunca fui daquele jeito, não sei o que aconteceu comigo, encarnei ali um Caio Castro. Ela estava caindo completamente no meu papo. Dessa vez eu podia ter certeza que essa menina estava na minha.

Estávamos na cozinha, abrindo a geladeira da casa, buscando mais bebidas. Foi então que falei:

– SABE ONDE TEM MAIS BEBIDA? O MEU BROTHER GUARDOU LÁ NO QUARTO DELE AS MAIS FORTES. VAMOS LÁ PEGAR?!

Por incrível que pareça, ela topou ir até o quarto do meu amigo buscar uma bebida, que, por sinal, inventei que estaria lá. Joguei verde pra ficarmos a sós completamente e ela topou. Meu coração foi a mil. Eu nunca havia jogado uma indireta dessas na caradura. Comecei a suar e a minha perna ficou bamba.

Subimos as escadas e entramos no quarto do meu amigo. Assim que entramos, ela fechou a porta, trancou e perguntou:

– VOCÊ TEM CAMISINHA, NÉ?

Puta merda!!! Meu coração saiu pela boca naquele instante. Ela estava conduzindo tudo, nunca imaginei que minha primeira vez seria assim. Ao mesmo tempo em que eu estava feliz, também estava nervoso. Acho que, pelo visto e pela maneira como ela estava conduzindo tudo, tenho certeza de que aquela não era a primeira vez dela.

QUANDO FALEI PRA IRMOS BUSCAR BEBIDAS NO QUARTO, NUNCA IMAGINEI QUE CHEGARIA NAQUILO. ACHEI QUE FICARIA COM ELA DE UMA MANEIRA GOSTOSA, MAS CONSEGUIR FAZER SEXO ESTAVA LONGE DA MINHA IMAGINAÇÃO.

ELA ME EMPURROU NA CAMA E COMEÇOU A ME BEIJAR. QUANDO PERCEBI, ELA ESTAVA DOMINANDO A SITUAÇÃO, ENTÃO RESOLVI MOSTRAR QUE EU TINHA EXPERIÊNCIA E QUE NÃO ERA FACILMENTE DOMADO. EMPURREI ELA PRO LADO PRA FICAR POR CIMA DELA. FOI ENTÃO QUE COMEÇARAM OS PEQUENOS ACONTECIMENTOS DE UMA PRIMEIRA VEZ CATASTRÓFICA. QUANDO EMPURREI A MENINA, ACHO QUE FIZ DE ALGUMA FORMA QUE ELA ACHOU QUE EU NÃO QUERIA MAIS FAZER NADA. A expectativa era empurrá-la e ela cair do meu lado perfeitamente, como em cenas de filme, mas, na realidade, eu a empurrei e ela continuou em cima de mim. Acho que naquele momento vi que eu não era muito forte.

ELA PERGUNTOU O QUE ESTAVA ACONTECENDO, E, NA HORA DE RESPONDER, PELO NERVOSISMO, COMECEI A GAGUEJAR. ACHO QUE, DEPOIS DE UMA DESSAS, SE EU FOSSE UMA GAROTA, SAÍA DE CIMA DE MIM E FALAVA: "APRENDE A FALAR, TROUXA!".

Acho que ela realmente estava com vontade, porque, depois de falar algo nada a ver e gaguejar, eu calei a boca do nada e ela ficou me encarando como se eu fosse louco. Naquele momento eu tive certeza de que ela levantaria e iria embora, mas ela continuou me beijando. Nos beijamos durante horas. Foi então que me acalmei, levantei bem devagar, fiquei em cima dela e tirei minha camiseta.

Enfim, como isto aqui não é livro erótico, vamos pular essa parte mais sexual e ir pra segunda vez que ela me perguntou a mesma coisa:

– CHRIS, VOCÊ TEM CAMISINHA, NÉ?

Obviamente que eu tinha. Era uma camisinha que eu ganhei do meu pai quando tinha quinze anos. Ela ficava no bolsinho lateral da minha carteira, e a expectativa era usá-la com quinze; não imaginei que abriria aquele bolsinho só dois anos depois.

Com grandes chances de a camisinha estar vencida, com alto risco de furar e totalmente nojenta por ter ficado dois anos na carteira, arrisquei, pois não queria perder a chance.

Abri o pacote e foi então que começou meu próximo desespero: colocar a camisinha na Anaconda! Não que meu bilau, piroca, salsicha, linguiça, enfim, não quero falar pinto, ops, agora já foi. Não que fosse grande a ponto de eu chamá-lo de Anaconda, mas, querem saber? Chega de falar de pinto. Vamos falar de colocar a camisinha, algo que eu NUNCA tinha feito na minha vida.

Nas aulas de educação sexual, eu me escondia de tanta vergonha que tinha de colocar a camisinha no pinto de borracha que usavam pra ensinar. Eu nunca havia comprado camisinha para, quem sabe, usar sozinho numa noite de descabelar o palhaço, se é que vocês me entendem, ou até mesmo ter os preservativos para um dia em que o ato acontecesse de verdade.

Ela estava deitada na cama me encarando, esperando eu colocar a camisinha para, então, eu ter o tão esperado momento da minha vida. Acho que, quando ela me viu tentando colocar aquela camisinha, claramente percebeu que eu era virgem.

Garotas, vou falar uma coisa aqui pra vocês: não encarem os homens nessa hora em que eles estão botando a camisinha. A gente sente a pressão de vocês no olhar, então façam outra coisa nesse momento. No meu caso, acho que dava tempo de ela descer, conversar com as amigas, beber, ir pra casa, assistir uma entrevista do Jô Soares e voltar para o quarto em que estávamos que eu ainda estaria tentando colocar aquela camisinha.

LEMBRO QUE QUANDO TENTEI COLOCAR, NA PRIMEIRA TENTATIVA – SIM, FORAM VÁRIAS TENTATIVAS –, A CAMISINHA ENTROU E PULOU PRA FORA DA ANACONDA. Fiquei desesperado procurando ela no chão e tentando agir normalmente para que a garota não me achasse estranho. Obviamente que isso era inevitável, afinal aquilo estava praticamente um estilingue de camisinha: eu colocava e ela saía voando.

Juro que na hora em que isso aconteceu falei pra ela:

– **NOSSA, QUE CAMISINHA APERTADA, NÉ?!**

Obviamente que meu documento não é do tamanho africano. Aquilo foi uma desculpa, mas, se quiserem imaginar trinta centímetros aí, fiquem à vontade.

NA SEGUNDA TENTATIVA, A CAMISINHA ENTROU, MAS PARECIA UM BALÃO LÁ EMBAIXO. Acho que coloquei errado e entrou muito ar. Meu pinto estava vestindo uma roupa de astronauta. Era tanto ar que eu quase flutuei. "Desafiando as leis da gravidade na hora do sexo, a gente vê por aqui!"

Tirei a camisinha e tentei colocar de novo, mas ela estava nojenta e toda grudada. Na terceira vez, não entrava de jeito nenhum, então comecei a desconcentrar, ficar com medo, nervoso, e a pressão de uma menina olhando eu causar tudo aquilo estava realmente me deixando nervoso. Foi então que comecei a brochar, não por falta de vontade de fazer com ela, mas sim pelo nervosismo e pelo problema com a camisinha.

Tenho certeza de que vocês que estão lendo, e ainda não tiveram a primeira vez, devem estar com medo de camisinha agora, e eu vou dizer uma coisa: não tenham! Só prestem atenção nas aulas de orientação sexual e em tudo que envolva sexo, não os sites pornôs, hein? Estou falando da teoria e da prática. Quanto mais vocês souberem, melhor.

Acho que, depois disso, deixei os garotos com medo da camisinha e as garotas com medo de a primeira vez delas ser com um virgem como eu, mas garanto que o que aconteceu comigo eu nunca vi acontecer com ninguém. Ainda está pra nascer uma pessoa que vai passar o que eu já passei.

Quando a menina viu que eu realmente não estava conseguindo colocar a camisinha, resolveu levantar aquela bunda gorda dela da maldita cama e fazer alguma coisa útil naquele momento. Peguei pesado, né? Mas lembrei agora do dia e fiquei um pouco rancoroso em relação ao momento da minha primeira vez.

SEMPRE PENSEI ASSIM: O HOMEM CONHECE O CORPO DELE E A MULHER CONHECE O CORPO DELA. No momento em que vai acontecer a primeira vez, por que não se ajudarem, não é mesmo? Não fiquem esperando que os homens façam tudo, pois na primeira vez o homem não sabe é nada;

a experiência que ele tem é basicamente de assistir vídeos pornográficos, que, cá entre nós, não ajudam em nada na hora de fazer de verdade.

Ela pegou aquela camisinha, que já estava nojenta, e colocou pra mim. Naquele momento concluí que ela realmente sabia o que estava fazendo.

Durei exatamente dois minutos. Fui mais rápido que o tempo de um miojo ficar pronto. Um macarrão que fica pronto em três minutos já é rápido; imaginem um ato sexual de dois. Isso sim que é rapidez.

Lembro que, quando eu era menor, fazíamos aquelas piadas na escola: "Qual é o cúmulo de tal coisa?". Acho que pra mim, naquele momento, poderíamos fazer uma assim:

– QUAL É O CÚMULO DA RAPIDEZ?
– O CHRISTIAN!

Enfim, não consegui segurar. Foi a mistura da pressão, expectativa e medo que me fez terminar rápido. Porém, quando tirei a Anaconda da toca (estou impressionado com meu vocabulário neste livro), percebi uma coisa que deixou a gente bem desesperado naquele momento.

Enfim, acho que isso já seria outra história, então pare de ler agora ou continue imediatamente no próximo capítulo. Fechado?

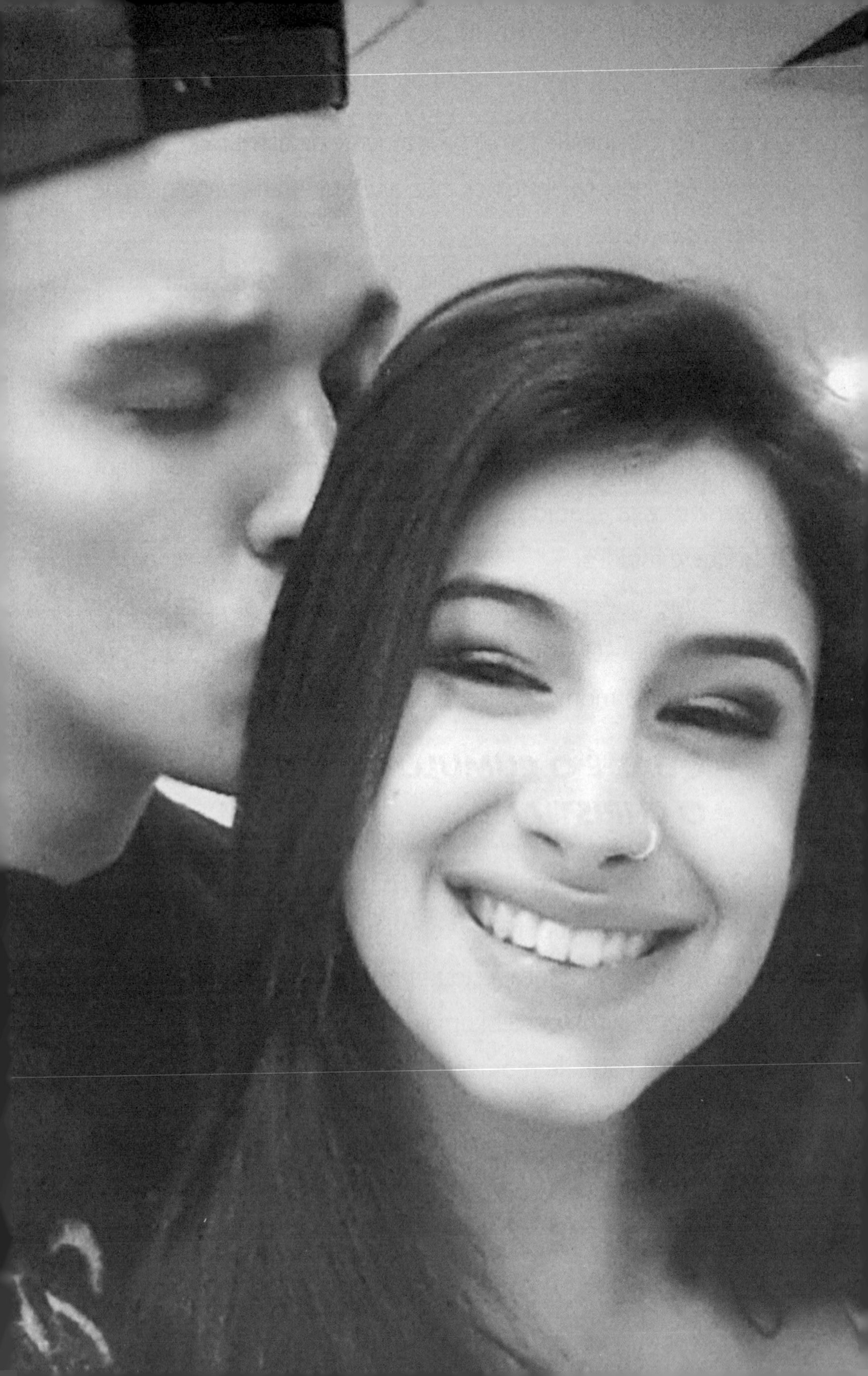

10

TENHO CERTEZA DE QUE TODO GAROTO JÁ PASSOU PELA PRESSÃO DE TALVEZ VIRAR PAI. NÃO CONHEÇO UM AMIGO MEU QUE NUNCA TEVE MEDO DE TER ENGRAVIDADO UMA MENINA, DE ESTAR DURANTE UM MÊS ESPERANDO A GAROTA FALAR QUE NÃO ESTÁ GRÁVIDA OU SIMPLESMENTE TER CERTEZA QUE JÁ SERIA PAI E, DE REPENTE, TUDO CLAREAVA E O SOL ABRIA COM A BELA NOTÍCIA DE QUE A MENINA NÃO ESTAVA GRÁVIDA.

Quando terminei, abaixei a cabeça e vi que a camisinha estava totalmente aberta na frente. Entrei em choque. Olhei para a menina e falei:

– A CAMISINHA ESTOUROU!

Ela pirou! Começou a gritar que não tomava pílula e que ficaria grávida porque estava no período fértil. Posso dizer que ela estava em pânico.

Eu estava pálido. Só me passava uma coisa na cabeça:
– POR QUE EU VIM NESSA MALDITA FESTA?!

Sempre que algo dá errado, entramos naquela de efeito borboleta do "e se". Se eu não tivesse ido na festa, eu estaria em casa e nada disso teria acontecido. Se ela não tivesse estudado comigo no primário, eu talvez não tivesse tido minha primeira vez hoje e a camisinha não teria furado. Enfim, com tantos "e se", a gente sempre acaba ficando louco.

Saímos do quarto do meu amigo depois de nos vestirmos e fomos pra fora da casa conversar. Já eram duas da manhã, eu estava cansado e agora mais do que nunca com medo, muito medo! Que adolescente de dezessete anos quer virar pai, me diz? E ela, então, que tinha acabado de entrar na faculdade? Ter um filho acabaria com o futuro profissional dela naquele momento. Nosso coração estava a mil. Quem diria, hein? De uma primeira vez bosta de dois minutos, eu poderia virar pai.

Concordamos que o melhor naquela hora era cada um voltar pra sua casa e descansar. Fui embora com o coração na boca, mas, como estava muito cansado, dormi rápido, nem fiquei pensando na situação.

NO OUTRO DIA ELA ME LIGOU E FALOU QUE HAVIA TOMADO A PÍLULA DO DIA SEGUINTE. EU NÃO SABIA DO QUE SE TRATAVA REALMENTE ESSA PÍLULA, MAS FALEI QUE TUDO BEM E QUALQUER COISA EU ESTARIA ALI PRA ELA. Na verdade, eu esperava não precisar mais. Sei que pode parecer babaca, mas, se eu olhasse para a cara dela antes de saber de verdade se estava grávida ou não, começaria a imaginá-la segurando um filho meu, a gente morando junto, um bebê chorando, brigas de marido e mulher, divórcio e por fim uma pensão a pagar. Sim, meus pensamentos eram bem fatalistas em relação a filhos e casamento. Então fiquei evitando a menina durante quinze dias, que era o período de espera para ser feito o teste de farmácia.

Acho que foram os quinze dias mais longos da minha vida. Vocês já perceberam que, quanto mais esperamos uma data, mais ela demora para chegar? Lembro até hoje que, quando eu queria sair mais cedo do colégio e estava na última aula do dia, ficava encarando o relógio, e aqueles cinquenta minutos de aula eram os mais longos da minha vida. Cada minuto de aula equivalia a duas horas de espera. Essa era minha equivalência.

Acho que cada dia, dentro desses quinze dias de espera, equivalia para mim a um mês. Eu não comia direito, dormia pouco e estudar, que já não estudava muito, agora então menos ainda. O tempo passou e a minha conclusão de que eu seria pai só se concretizava.

Lembro que, pelo fato de eu não a procurar para conversar e ela também não me procurar, comecei a criar histórias na minha mente fértil de que ela já sabia que estava grávida e apareceria um dia com uma criança no colo falando:

– CHRIS, FUI EXPULSA DE CASA. VOU MORAR COM VOCÊ.

Ou que os pais dela contrataram um médico pra fazer um aborto e, nesse pensamento, comecei a sentir pena dela por perder um filho tão nova. Lembro também que comecei a pensar coisas absurdas, como ela já estar grávida e ter furado minha camisinha para eu assumir o filho, já que o pai supostamente poderia ser um marginal que a engravidou e sumiu.

Enfim, minha cabeça estava voando em pensamentos totalmente loucos. Foi quando recebi um SMS:

"FIZ O TESTE, DEU POSITIVO! ESTOU GRÁVIDA".

EU GELEI. A PRESSÃO BAIXOU, SENTEI NO SOFÁ E VI MINHA VIDA INTEIRA PASSANDO NA CABEÇA COMO SE EU FOSSE MORRER. MINHA VISTA FICOU PRETA, E EU SÓ PENSAVA UMA COISA: "ISSO NÃO PODE ESTAR ACONTECENDO COMIGO!".

Deitei no sofá e peguei no sono.

Lembro que acordei umas duas horas depois, ainda angustiado, e peguei o celular pra ver o horário. Vi que havia outro SMS dela, abri rapidamente a mensagem e esta dizia:

"BRINCADEIRINHA, CHRIS! O TESTE DEU NEGATIVO! NÃO É DESSA VEZ QUE SEREMOS PAPAIS."

Minha vontade naquela hora foi pegar o pescoço dela e dar uma torcida de leve, mas a felicidade de receber aquela notícia foi tanta que esqueci a piadinha e comecei a pular na sala de casa de tanta alegria. Eu não precisaria trocar fraldas tão cedo.

Eu simplesmente odeio pessoas que brincam com coisas sérias. Apesar de gostar muito de fazer piada com os outros, quando fazem comigo fico bravo.

Enfim, depois desse sufoco todo de saber que eu não seria pai, minha vida voltou ao normal e eu já estava preparado para ter uma segunda vez com outra garota, agora durando mais que dois minutos e não tendo uma possível gravidez envolvida.

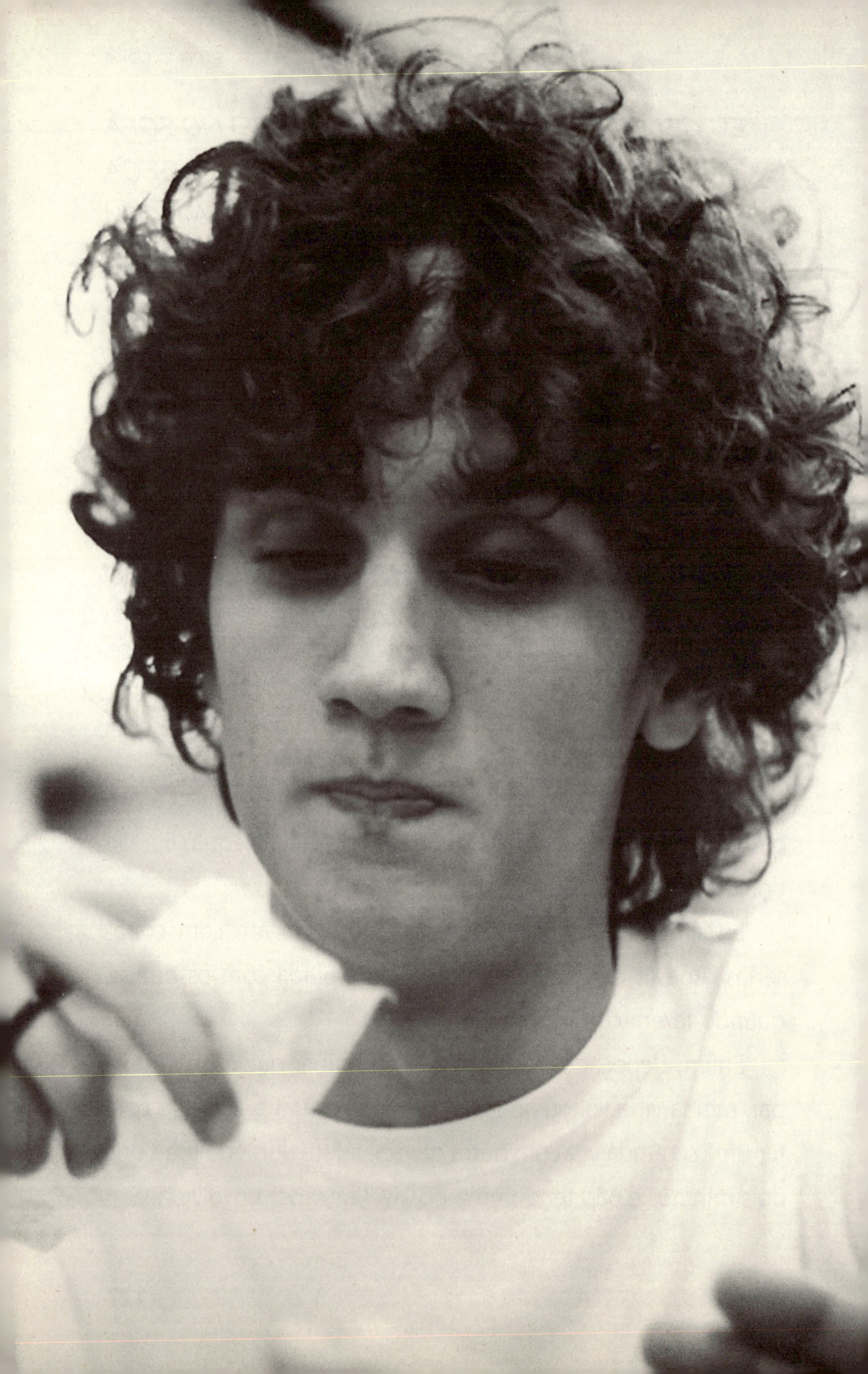

11

QUANDO UM GAROTO FAZ DEZOITO ANOS, UMA DAS MAIORES VONTADES QUE ELE TEM É TIRAR A CARTEIRA DE MOTORISTA.

Meus pais nunca saíram para dirigir comigo quando eu era menor, o que sempre me deixou louco para ter dezoito e poder fazer logo as aulas de direção. 6 de junho de 2012 era o grande dia. Eu completaria dezoito aninhos e a minha única vontade era ter logo a carta! Como meus pais não tinham dinheiro para pagar o curso, que, cá entre nós, é uma fortuna, juntei dinheiro durante meses antes de fazer aniversário para poder pagar. Zerei meu cofre e corri para me matricular no dia 7 de junho.

Fiquei bem desanimado, na verdade, pois descobri que, antes de sentar em um carro pra dirigir, havia um processo todo.
Primeiro, fiz o CFC (Centro de Formação de Condutores), que era um intensivo teórico sobre direção. Minha sala era bem vazia, eu fazia à noite depois do colégio. A maior parte dos alunos tinha minha idade e, cá entre nós, nove da noite para uma pessoa que acorda às seis da manhã já é um horário bem cansativo pra ter aula. A minha ia das nove à meia-noite.

Quando o relógio sinalizava dez horas, meu desespero pra ir embora já começava. Seriam duas semanas naquela rotina sobre placas, sinalização, o que tem dentro de um carro, entre outras coisas chatas. Meu único pensamento era: "Quando eu vou acelerar um carro de verdade?".

DEPOIS DE DUAS LONGAS E SOFRIDAS SEMANAS, FINALMENTE O CURSO ACABOU. EU FIZ A PROVA E ADIVINHEM. PASSEI!!!

O grande momento de começar o curso de direção chegou! Eram vinte horas de aulas diurnas e quatro de noturnas. Eu estava eufórico para o momento de entrar em um Gol 1998 sem direção hidráulica nem ar-condicionado.

Na primeira aula, o instrutor olhou pra mim e perguntou:

– VOCÊ SABE DIRIGIR?

Eu, não querendo parecer um homem com dezoito anos nas costas que não sabe dirigir, dei a resposta de que mais me arrependo até hoje:

– CLARO QUE SEI, PÔ!

O instrutor deu um sorriso e logo respondeu:

– ÓTIMO!!! PORQUE O ÚLTIMO ALUNO NÃO SABIA NADA. FICAMOS DUAS HORAS NO MESMO QUARTEIRÃO. VAMOS PRA UMA ZONA MAIS LEGAL, ENTÃO!

Eu estava no banco do passageiro me cagando de medo. Não sei por que falei que sabia dirigir. Foi uma mentira tão espontânea quanto coçar a cabeça ou até mesmo piscar o olho. Eu realmente não sabia dirigir, nunca havia pegado um carro antes e agora ele estava me levando pra uma "zona mais legal". O que será que isso significava?

Depois desse dia, passei a pensar duas vezes antes de mentir. Não importava a mentira, se era em branco, em verde, em preto ou amarelo. Depois de um trauma, nunca mais repetimos o erro, não é mesmo?

O INSTRUTOR ME LEVOU ATÉ UMA PEQUENA AVENIDA, NA VERDADE ERA UMA RUA, E O TRAJETO QUE ELE FALOU PRA EU FAZER ENTRAVA NA AVENIDA.

Era basicamente uma linha reta e virando à direita entraríamos numa área de quatro pistas.

Agora imaginem uma pessoa que nunca dirigiu na vida pegando uma avenida na primeira aula. Só poderia dar merda.

Troquei de lugar com o instrutor, ajeitei o banco e arrumei os espelhos. Eu não teria feito nada daquilo, na verdade, só fiz pra fingir que sabia o que estava fazendo no volante. O instrutor se ajeitou, abaixou seu banco como se fosse dormir, ligou o rádio e colocou uma música eletrônica. Logo depois veio a palavra da minha sentença de morte:

– **VAI.**

PRA NÃO DIZER QUE MEUS PAIS NUNCA ME ENSINARAM NADA, MEU PAI CERTA VEZ ME ENSINOU A ENGATAR AS MARCHAS, MAS EU TINHA UNS TREZE ANOS E NUNCA MAIS PEGUEI O CARRO DEPOIS DAQUILO.

Dei a partida, engatei a primeira e consegui fazer o jogo de embreagem e acelerador sem deixar morrer o carro. Eu estava me sentindo um herói depois de fazer aquilo. Enquanto isso, o instrutor estava do meu lado com cara de sono. Acho que ele não valorizou muito a minha conquista.

Ele pediu pra eu engatar a segunda e já embicar pra entrar na avenida. O carro começou a fazer um barulho estranho.

O instrutor disse que eu estava forçando demais a marcha e falou pra eu colocar terceira e acelerar bem até a curva para a avenida.

Comecei a ficar aflito. Um carro passou do meu lado e aquilo me afobou demais. Pessoas que estão começando a dirigir veem os outros carros como adversários, e aquele que passou do meu lado realmente me despertou o sentimento de ter sido afrontado.

Comecei a prestar atenção em muitas coisas ao mesmo tempo: no carro do meu lado, no tempo em que teria que brecar pra entrar na avenida, na música eletrônica e no instrutor falando repetidamente:

– REDUZ, REDUZ, REDUZ, VAMOS VIRAR!!!

Com aquelas informações todas, entrei com tudo na avenida, sem nem sequer olhar nos retrovisores. Eu parecia o Vin Diesel no filme *Velozes e Furiosos*, sem a parte do veloz, é claro. A parte do "furioso" eu deixei pro instrutor, que deu um grito:

– Como você entra aqui sem olhar? Quer matar a gente?!

ISSO TUDO ACONTECEU ENQUANTO EU AINDA ACELERAVA, ENTÃO COMECEI A FICAR MAIS AFLITO AINDA. AGORA NÃO ERA SÓ UM CARRO

PASSANDO DO MEU LADO... VÁRIOS CARROS A MILHÃO PASSAVAM POR MIM.

Além das broncas do instrutor, eu estava levando umas buzinadas na orelha. Acabei entrando na pista da esquerda, que é para aqueles que querem ir mais rápido – informação que eu desconhecia.

Não foram necessários nem dois minutos para o meu trauma acontecer. Naquele turbilhão de coisas, comecei a acelerar mais por causa das buzinadas. O que eu não percebi era que uma hora eu teria que brecar.

O instrutor tem seus pedais do lado dele, mas agora tudo dependia de mim. Ele falou bem rápido:

– CARA, NÃO POSSO BRECAR DAQUI NESSA VELOCIDADE. VAI BRECANDO DAÍ AOS POUCOS!

Obedeci. Só não acertei o pedal, digamos assim.

Quando ele mandou eu ir reduzindo, apertei sem querer o acelerador e voilà! Estourei o carro da frente.

SIM, BATI NO CARRO DA FRENTE PORQUE ERREI O PEDAL. O INSTRUTOR ESTAVA LOUCO, XINGANDO, BATENDO NO BANCO E RESMUNGANDO COMIGO.

Não demorou muito pro motorista da frente sair do carro. Ele foi até a nossa janela e falou:

– E AÍ? QUEM VAI PAGAR ESSA BARBEIRAGEM?

Na minha cabeça veio uma simples resposta:

– EU QUE NÃO, MANÉ!

Só que eu fiquei quieto, abaixei a cabeça e deixei o instrutor falar.

Felizmente não precisei pagar a batida, mas ouvi MUITO do instrutor. Ele não parava de falar dos erros que cometi, que eu não sabia trocar de faixa, não tinha visão na direção, não sabia a diferença entre acelerador e breque, não sabia trocar a marcha... e por aí foi.

Se aquele carro já era velho, depois da minha batida ficou uma carroça.

RETOMEI MINHAS AULAS UMA SEMANA DEPOIS, POR CAUSA DA VERGONHA QUE ESTAVA DE VOLTAR. ATÉ TROQUEI DE INSTRUTOR PRA GARANTIR QUE O CARA NÃO IA ME MATAR.

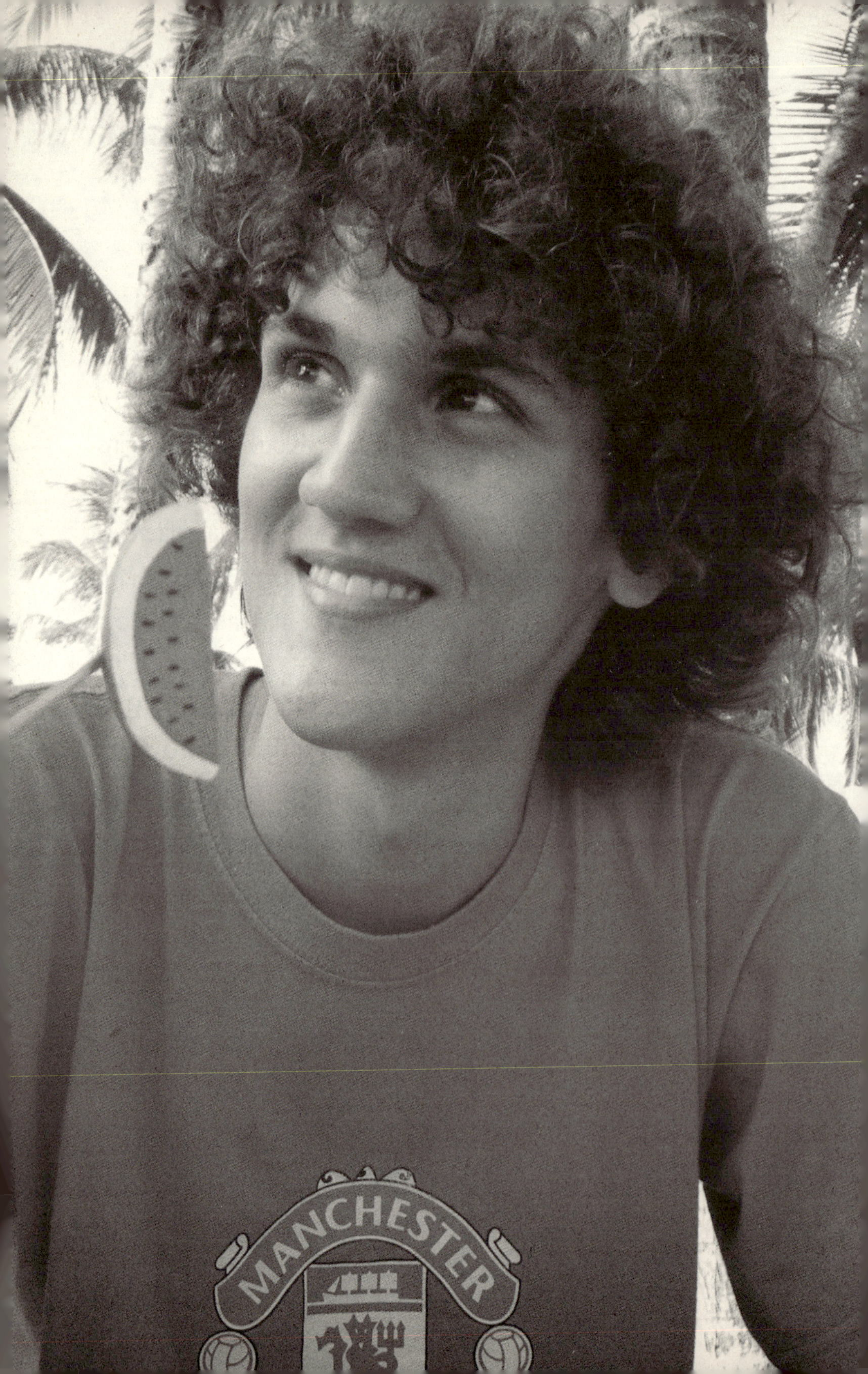
MANCHESTER

12

Lembro que contei em um dos meus vídeos o episódio em que fui jantar na casa de uma ficante, se é que posso chamar assim. Não digo que era namorada, pois nunca a pedi em namoro, mas já estávamos saindo há algum tempo.

Terminei o vídeo como se aquele tivesse sido o nosso último encontro, mas a coisa foi mais além. Depois de passar aquele vexame na casa dela, tipo entrar com o sapato cheio de merda de cachorro no apartamento, entupir a privada, ser o cara mais tímido de todos e, por fim, sair de lá causando a pior impressão do mundo, na semana seguinte os pais dela quiseram me levar pra jantar.

Não entendi por que eles insistiam tanto em me ver, sendo que nem namorado da filha deles eu era. Será que gostaram de mim depois de tudo aquilo?

O tempo passava e o dia do jantar nunca chegava. Eu não aguentava mais esperar. Só aceitei o convite porque ela insistiu muito; não queria mais sair com os pais dela pra não ficarem com essa impressão de namoro. Quanto mais esperamos uma data, mais ela demora pra chegar. Eu queria que esse dia, que nem tinha chegado, acabasse logo. Odiava conhecer os familiares da pessoa com quem estava ficando, afinal, eu sempre ficava travado, tímido e não tinha uma vez que eu não fazia besteira.

COMO JÁ TINHA CONHECIDO OS PAIS DELA, EU ESTAVA AINDA MAIS NERVOSO. AFINAL, QUANDO OS CONHECI, BASICAMENTE DESTRUÍ AQUELA CASA.

Depois de tanto tempo sofrendo com a espera, finalmente chegou o grande dia do jantar! Encontrei todo mundo na casa da minha ficante. O pai dela, como falei no vídeo, era completamente sem graça, mas, na cabeça dele, era um comediante nato! Quando cheguei na casa deles, o pai já me recebeu fazendo a piada do "quem é?". Vocês conhecem essa?

Toquei a campainha e logo ouvi uma voz falando:

– QUEM É?!

Eu percebi que era o pai dela, então me anunciei:

– É O CHRIS!

Já coloquei minha mão na maçaneta da porta achando que ele abriria na hora, mas a brincadeira foi um pouco mais longe.

Ficou um silêncio depois que me anunciei; achei que ele não tinha me ouvido. Logo falei:

– OLÁ?!

Então ouvi novamente o pai dela:

– CHRIS DE QUÊ?! NÃO ESTAMOS ESPERANDO NENHUM CHRIS.

Eu já estava ficando meio irritado. Aquilo não tinha a mínima graça.

O PIOR É QUE EXISTEM MUITAS PESSOAS IDÊNTICAS A ELE, TENHO CERTEZA QUE VOCÊS CONHECEM PELO MENOS UMA QUE FAZ ESSE TIPO DE PIADINHA. PERGUNTA "QUEM É?" QUANDO SABE QUEM ESTÁ NA PORTA, VAI TE DAR ALGUMA COISA E QUANDO VOCÊ ESTICA A MÃO PRA PEGAR ELE PUXA, FAZ A PIADA DO "PAVÊ OU PACOMÊ", ENFIM, ACHO QUE NESTE MOMENTO JÁ VEIO UMA PESSOA ASSIM NA CABEÇA DE VOCÊS.

Juro que fiquei durante cinco minutos naquela do "quem é?", e ele simplesmente não abria a porta. Graças a Deus a esposa dele chegou e falou:

– PARA DE ATORMENTAR O MENINO. ABRE PRA ELE!

Se tem uma coisa que homem obedece é mulher, nunca vi. Bastou uma ordem dela e a porta foi aberta num piscar de olhos. Logo entrei, cumprimentei os dois e perguntei da minha amada e bela não namorada. Gosto de deixar claro que não namorava pra vocês entenderem que eu não era íntimo da família dela.

Descemos pra garagem e partimos para o restaurante. Quando chegamos, fiquei de boca aberta, literalmente! Sabe aquele restaurante que só vemos nos filmes? Então, era um desses. Nem se eu vendesse meus rins poderia pagar uma conta daquele lugar.

Nesse momento fiquei meio assustado. Afinal, se os pais dela estavam investindo alto assim num jantar pra mim, é porque eles tinham gostado da minha atrapalhada e humilde pessoa e queriam que eu ficasse com a filha deles. E aí estava o grande problema! Como era um lance recente, estávamos juntos não fazia nem dois meses, eu não gostava muito dela e estava com medo daquela situação tão familiar. Naquele momento, percebi que ela poderia estar gostando de mim de verdade, e não era recíproco. Eu teria que agir naquela noite ou a coisa sairia do controle! Já, já eu estaria fazendo bolo de fubá com a vó dela ou até mesmo pescando com o tio.

Como ela era de família rica, se eu mostrasse ser um cara totalmente largado, os pais já não gostariam mais de mim. Assim eu imaginava. O que eu pensei naquele momento foi em começar a fazer a família me odiar pra depois acabar com aquela história toda.

O pai pediu uma entrada pra nós e eu logo soltei a minha primeira pérola:

– NÃO QUERO ENTRADA, GENTE, OBRIGADO! ANTES DE VIR PRA CÁ, BATI UM PÃO NA CHAPA. NÃO SABIA SE ERA LUGAR DE RICO QUE VOCÊS IRIAM ME TRAZER, ENTÃO PREFERI ME GARANTIR ANTES PRA NÃO PASSAR FOME COM AQUELES PRATINHOS PEQUENOS...

Minha ficante, quase namorada, peguete, enfim, apelidem como quiser... Ela ficou brava depois da minha resposta, me cutucou de lado e disse que eu fui grosso. Na verdade era essa imagem mesmo que eu queria passar.

OS PAIS DELA DERAM UM SORRISINHO CONSTRANGIDO E SUGERIRAM O QUE PODERÍAMOS JANTAR. Eu falei que queria churrasco, mas, como não estávamos numa churrascaria, o que viesse era lucro. Depois dessa resposta eu tinha certeza que os pais da menina já não gostavam mais de mim.

Eu realmente queria ser o babaca da noite.
Não conseguiria ir adiante com aquilo. Acho que não podemos assumir um relacionamento se não estamos gostando inteiramente da pessoa.

A noite estava agradável, então eu me controlei um pouco pra não ser tão babaca. Jantamos, conversamos sobre assuntos gerais e, logo depois, a mãe dela perguntou o que eu queria cursar depois da escola. Nessa hora pensei em realmente responder sério, mas resolvi continuar com meu plano.

– ENTÃO, NÃO PENSO EM TRABALHAR COM NADA... ME RECUSO A ENTRAR NESSE SISTEMA CAPITALISTA. SE FOR PRA MORAR EMBAIXO DA PONTE EU MORO, MAS NÃO TRABALHO NEM A PAU!

Tentei falar isso sério, mas eles levaram na brincadeira. Todos deram uma risada constrangida do tipo "Será que ele está falando sério?".

Logo depois do prato principal e da minha resposta, o pai dela começou uma maratona de piadinhas. Eu já estava irritado depois do episódio da porta... Ouvir um monte de piadas nível "quem é?" seria pra morrer. Não aguentei. Peguei o celular, fingi que atendi alguém e falei:

– ALÔ? É A GRAÇA? SENHOR, É PRA VOCÊ. A GRAÇA.

Ele ficou mudo. Acho que ninguém nunca peitou o momento piadista dele. A filha deu uma risadinha e a mãe, por um momento muda, logo me encarou e disse:

– **REALMENTE, ESSAS PIADAS ESTAVAM HORRÍVEIS!**

Acho que, sendo babaca, acabei criando mais empatia com eles.

HORA DE EXTRAPOLAR! JOGUEI LOGO ALGO BEM ABSURDO NA MESA:

– GALERA, ACHO QUE MEU ESTÔMAGO NÃO SUPORTA ESSA COMIDA DE RICO. VOU ALI SOLTAR UM BARROSO! ONDE FICA O BANHEIRO?

Depois dessa, todos me encararam como se eu tivesse falado a coisa mais absurda do mundo. Eu estava completamente diferente do primeiro jantar com os pais dela. Acho que era isso que mais assustava o pessoal. Na verdade, era isso que eu queria fazer, distanciá-los de mim pra acabar logo com aquilo, que, na minha visão, estava indo rápido demais. Eu não queria assumir um relacionamento, então tive que fazer o que achava certo.

Quando falei do banheiro ninguém respondeu, então fui andando em direção a qualquer lugar. Fiquei parado em um corredor do restaurante, esperando dar um tempo razoável de alguém que foi cagar. Enquanto estava lá, fiquei imaginando o que os pais dela estavam falando de mim. Acho que naquela noite queimei o filme de verdade. Quando voltei pra mesa, por incrível que pareça, eles agiram normalmente e ainda perguntaram:

– **ESTÁ TUDO BEM, CHRIS? QUER UM REMEDINHO?**

Nada abala essa família, gente?! No primeiro encontro destruo a casa deles e no segundo me comporto como um animal e eles continuam agindo normalmente comigo? Agora sim eu estava sem saída.

Depois que o jantar acabou, eu tive que ser sincero. Olhei para os três, principalmente para a minha quase namorada, e comecei a falar:

– **DESCULPE POR TUDO, GENTE... EU NÃO ESTAVA SENDO EU MESMO HOJE. NO PRIMEIRO ENCONTRO MORRI DE VERGONHA, E NO SEGUNDO AGI COMO UM ANIMAL COM VOCÊS. FIZ TUDO ISSO PORQUE FIQUEI COM MEDO DA VELOCIDADE QUE AS COISAS ESTAVAM TOMANDO. NÃO ESTOU PRONTO PRA ASSUMIR ALGO SÉRIO ASSIM, ME DESCULPEM.**

Dei um beijo nela, agradeci os pais novamente, me levantei e saí andando pra fora do restaurante.

Pedi um táxi e fiquei lá na calçada com um aperto no coração que até me fez repensar o que tinha feito. Logo ouvi uma voz:

– **CHRIS!!!**

Era ela correndo atrás de mim. Eu estava sem coragem de olhar nos olhos dela, mas tive que encarar a situação.

Posso dizer que aquele foi o momento mais impressionante da minha vida! Ela olhou nos meus olhos e disse:

– Foi muito bom enquanto durou, Chris! Você ter falado aquilo foi um alívio! Essa ideia toda de jantares, conhecer família... Eram meus pais que pediam e perguntavam com quem eu estava saindo. Mas você só me deu forças pra eu assumir meu lance com o Victor (nome fictício pra eu não ser processado, ok? Hehehe).

Agora a coisa tinha ido para o lado pessoal! Como assim "lance com o Victor" se a gente estava junto há quase dois meses? Era isso mesmo que eu tinha entendido? Eu estava saindo dali chifrudo?

A primeira coisa que perguntei foi:

– QUE VICTOR?!

Ela abaixou a cabeça, respirou fundo e começou a contar:

– O Victor é irmão da minha amiga, mas eu nunca poderia assumir um lance com um cara de 24 anos, então às vezes eu falava pros meus pais que ia sair com você, mas eu saía com ele. Por isso que eles sempre querem sair com você, porque eles acham que a gente se vê sempre. E não é verdade. Desculpe, Chris! Eu nunca terminaria com você... Eu gosto de você, mas com o Victor é um lance forte, a gente se vê e rola uma química que eu nunca tive com ninguém. Agora que você quis terminar comigo, vou atrás dele e assumir que estou com um cara mais velho!

Comecei a gaguejar e a pensar que eu era o trouxa da história. Achei que estava saindo por cima, "o cara que não quer assumir um namoro", e, quando vi, ela estava me chifrando. Fiquei mudo, respirei, olhei pra cima, pros lados, mas não conseguia olhar nos olhos dela. Logo um homem me cutucou:

– SEU TÁXI CHEGOU.

Olhei pra ela e falei minhas últimas palavras:

– A gente não namorava, então cada um faz o que quer da vida, não é mesmo? Seja feliz com ele.

Não dou razão pra mim nem pra ela. Acho que os dois estavam errados. Eu, por fingir que estava tudo bem, mas na verdade querendo terminar um lance que nem tinha começado; ela, por estar feliz com outro e não contar pra ninguém.

De aliviado para arrasado. Cheguei em casa e fiquei pensando nos momentos bons que tive com ela e não na minha vontade de que aquilo terminasse. A nossa cabeça é uma filha da... Ok, sem palavrões. Parece que ela corta todos os momentos em que estávamos insatisfeitos e só deixa as memórias boas lá dentro.

Como eu já disse, eu era muito mocinha em termos amorosos, ou seja, fiquei sofrendo por algo que nem queria mais.

13

EXISTEM SITUAÇÕES QUE NEM PODEMOS DESCREVER DE TÃO ABSURDAS QUE ELAS PODEM SER. VOU TENTAR CONTAR ESSA HISTÓRIA PRA VOCÊS, MAS NÃO GARANTO QUE CONSEGUIREI TERMINAR POR AQUI. ENFIM, VAMOS LÁ!

QUANDO EU TINHA UNS ONZE PRA DOZE ANOS, MINHA MÃE ME COLOCOU NUMA ESCOLA DE NATAÇÃO. ELA VIVIA FALANDO:
— NATAÇÃO VAI TE FAZER BEM. MELHORA A RESPIRAÇÃO E ABRE OS PEITOS!

De tanto ela falar essa mesma frase todos os dias, acabei aceitando entrar na aula de natação. Na primeira semana me saí bem. Eles precisavam de uma semana pra avaliar o aluno e o colocar em um certo nível. Me colocaram no nível "peixinho dourado".

Não pensem que eu gostei disso. Afinal, quando temos doze anos já sentimos vergonha dessas coisas de criança. Peixinho dourado era pra queimar o filme de qualquer um. Lembro que tinha peixinho branco, verde, azul, cinza, dourado e depois vinham as toucas sem peixinho. Na verdade, eu queria ser um dos alunos com touca sem aqueles peixes coloridos grudados nela. Aquilo realmente me constrangia.

A AULA DO PEIXINHO DOURADO ERA BASICAMENTE NADAR DE UM LADO PARA O OUTRO DA PISCINA. EU NUNCA TINHA FEITO UM ESPORTE TÃO CHATO. EU ODIAVA NATAÇÃO; FICAVA ENTEDIADO.

Tudo mudou, porém, quando quatro meninas foram transferidas para o meu grupo. Elas não eram da turma dos peixinhos. Eram mais velhas, deviam ter uns quinze anos. Eu, com doze, já me interessava por garotas, principalmente pela fase em que me encontrava, entrando na puberdade! Hormônios a mil, desejos loucos do nada, o instrumento, se é que vocês me entendem, se manifestando em momentos inapropriados, enfim. Essas quatro meninas deram vida para a minha turma.

Em todas as aulas, antes de entrarmos na piscina, o professor comandava um aquecimento com todos os alunos. Nós alongávamos da cabeça aos pés. Essa parte da aula também me deixava entediado. Afinal, ficávamos, dos cinquenta minutos de aula, quinze fora da água, o que não fazia o menor sentido pra mim.

Certo dia, na verdade, O GRANDE DIA de um dos maiores micos que já passei na vida, chegou. Era uma quarta-feira como outra qualquer. Cheguei na aula, coloquei a sunga e a touca com os peixinhos dourados ridículos e fui para a piscina. Naquele dia o professor passou um aquecimento diferenciado: ele misturou garotos e garotas e deu as instruções.

Por incrível que pareça, caí com a menina mais linda da turma. Era uma das quatro que tinham acabado de entrar no meu horário. O aquecimento foi o que mais me animou. Deveríamos começar estalando as costas do parceiro. E como faríamos isso? Indo por trás da pessoa, fechando os dois braços dela, abraçando ela por trás e apertando de uma forma estranha que o professor ensinou.

Ela começou estalando as minhas, que, cá entre nós, pareciam um instrumento musical de tanto barulho que faziam.

Depois de alguns minutos, o professor falou pra trocarmos, então eu fui atrás dela pra continuar o aquecimento.

O PROBLEMA É QUE EU ERA UM IDIOTA, VIRGEM, QUE NUNCA TINHA BEIJADO NINGUÉM, NUNCA TINHA ABRAÇADO UMA MULHER A NÃO SER MINHA MÃE, E O MAIS PERTO QUE TINHA CHEGADO DE ALGUMA GAROTA ERA NA AULA DE EDUCAÇÃO FÍSICA QUANDO BRINCÁVAMOS DE PEGA-PEGA.

A menina estava de biquíni, o que me lembrava uma lingerie, ou seja, me deixava num ambiente nunca dantes explorado.

Quando ela virou de costas pra mim, vi a sua bunda empinada bem na minha frente, o que me deixou sem atitude. Posso dizer que nem sabia o que era um ato sexual em si, mas o nosso corpo já sabe sozinho o que fazer, mesmo você não sabendo muito bem. O único problema é que o meu corpo não sabia que era uma aula de natação... Ele deve ter achado que eu estava em um momento mais feliz.

Vou dizer pra vocês que estou BEM constrangido de continuar contando essa história por aqui. A cada palavra que escrevo, lembro daqueles momentos e me dá vontade de me esconder de tanta vergonha. Acho que vou continuar essa história num vídeo, tudo bem pra vocês? Quando quiserem saber a continuação, acessem este link aqui:

https://www.youtube.com/watch?v=rvtInUT-e9o

14

ONDE SE IMAGINAR EM DEZ, VINTE, TRINTA OU ATÉ MESMO EM CINCO ANOS?

ACHO UMA LOUCURA PENSAR NA VELOCIDADE DAS COISAS, COMO O TEMPO PASSA, COMO DE REPENTE ESTAMOS TÃO DISTANTES DE PESSOAS QUE ADORÁVAMOS E TÃO PERTO DE PESSOAS DE QUEM NUNCA IMAGINARÍAMOS SER PRÓXIMOS.
É INCRÍVEL COMO A CADA MÊS EU MUDAVA MEU CONCEITO DE FUTURO. POR UM LADO, ISSO ME FEZ ESTAR MUITO MAIS PRESENTE EM COISAS PEQUENAS E PRAZEROSAS DA VIDA; POR OUTRO, ME DEIXAVA ÀS VEZES INSEGURO, AFINAL, NA ADOLESCÊNCIA, SEMPRE TEMOS UMA CERTA COBRANÇA DOS PAIS, FAMILIARES, PROFESSORES E ATÉ MESMO DOS AMIGOS SOBRE "O QUE VOCÊ VAI FAZER QUANDO ACABAR A ESCOLA."

Parece que nunca está bom o presente. Temos que encontrar a segurança no futuro, o que eu acho uma grande BABAQUICE.

Primeiro que os pais pressionarem o filho a decidir logo o que fazer da vida é a pior coisa do mundo. Além de te deixar mais ainda sem rumo, faz você escolher, na pressa, algo que nem queria pra depois, lá na frente, ver a cagada que fez. Infeliz, angustiado e preso num cenário que você nem tinha pintado quando menor.

Eu comecei a ter o hábito de me imaginar não fazendo algo que perante a sociedade era o certo para ter uma vida bacana, como: "vou fazer a faculdade X, o curso Y, pra depois fazer a pós-graduação Z em tal lugar e então conseguir meu estágio".

AÍ, DEPOIS DISSO, O QUE VEM, GENTE? TRABALHAR, GANHAR MEU SALÁRIO, TER UMA NAMORADA, CASAR, TER FILHOS, ME SEPARAR, PAGAR PENSÃO, CASAR DE NOVO, CRISE DOS 30, 40, "ACHAR QUE TÔ FICANDO VELHO", FICAR VELHO DE VERDADE E MORRER CHEIO DE TUBOS NUMA CAMA DE HOSPITAL? NUNCA.

Nunca pensei dentro da caixa, pois nunca quis me encaixar em nada. Sempre quis fugir do padrão, da ideia do certo perante a sociedade, da ideia da ordem para as coisas, de que sem a ordem você não vai conseguir nada. Fora da caixa eu prosperei muito mais do que dentro dela.

Não confundir com: "não faça faculdade, não faça nada que tudo dará certo".

Estou falando pra seguir o seu instinto sem ouvir os outros. O futuro é seu, a vida é sua e quem vai vivê-la é você!

Meu hábito de me imaginar no futuro sempre vinha na ingenuidade. Eu adorava escrever quando era menor, então me imaginava escrevendo na minha poltrona de couro quando crescesse, na minha própria casa, num horário em que eu não poderia estar acordado na época de escola, por exemplo, quatro e meia da manhã, tomando um café e lançando meu próprio livro no Brasil inteiro e ops! Acho que estamos vivendo isso agora. Busquei meus sonhos e eles estão acontecendo. É isso que estou falando pra vocês, busquem seus sonhos e não o concreto, que de cara pode parecer o caminho menos arriscado a seguir.

O Christian do passado escreveu muitas coisas e se imaginou em muitos cenários diferentes, cenários dos quais não tive medo de me imaginar por bloqueio de outras pessoas. Medo de não obter sucesso se seguisse tal coisa. Já me imaginei escritor, cineasta, mochileiro, palestrante, músico, ator e até mesmo crítico de filmes. E em todos esses cenários vi o sucesso.

Acho que de alguns desses cenários temos alguns semelhantes ao que vivo hoje. Sonhei com eles e hoje estou vivendo isso, sabe como? Não tive medo de acreditar que o impossível era possível. Que sair de casa sem estar num emprego de carteira assinada, com garantias e seguranças e assim mesmo se sustentar sem a ajuda de ninguém e hoje estar na minha poltrona que sempre quis ter, escrevendo estas palavras, tomando meu café às quatro da manhã, sozinho, apenas ao som do vento na janela ao lado me mostrando a noite... Essa liberdade eu comprei com meus sonhos.

Não importava o cenário do futuro em que eu me imaginava, sempre tinha um único final:

ESTAR PRÓSPERO, FELIZ E CONFORTÁVEL.

Espaço do Leitor

COMO EU SEMPRE ESCREVI PÁGINAS DE UM FUTURO E SEMPRE GUARDEI TODAS ELAS, HOJE LEIO E VEJO QUE TUDO MUDA A CADA SEGUNDO, MINUTO, DIA E ANO. É ENGRAÇADO VER O QUE EU IMAGINAVA PARA O MEU FUTURO QUANDO TINHA DOZE, TREZE ANOS.

DEIXO AGORA, ENTÃO, ESTE ESPAÇO PRA VOCÊS. QUERO QUE VOCÊS PEGUEM UMA CANETA E ESCREVAM NAS PRÓXIMAS PÁGINAS DESTE LIVRO ONDE VOCÊS SE IMAGINAM DAQUI A CINCO ANOS, DEPOIS DEZ E DEPOIS VINTE.

O que vocês estarão fazendo? Estarão casados, trabalhando, viajando, cuidando de cinco filhos? De nenhum? Onde vocês estarão? Como estarão? Imaginem e viajem! O céu é o limite!

Um grande beijo do lokão no coração de todos vocês. Curtam cada segundo da vida como se fosse o último! Vivam intensamente! Quando os adultos falam que o tempo passa rápido e que vocês deveriam reclamar menos, posso garantir que é verdade. Não se prendam a nada e não se preocupem tanto com coisas bobas. A vida tem um plano perfeito pra cada um de nós.

Agora eu vou e vocês ficam aí escrevendo, ok? Fui!

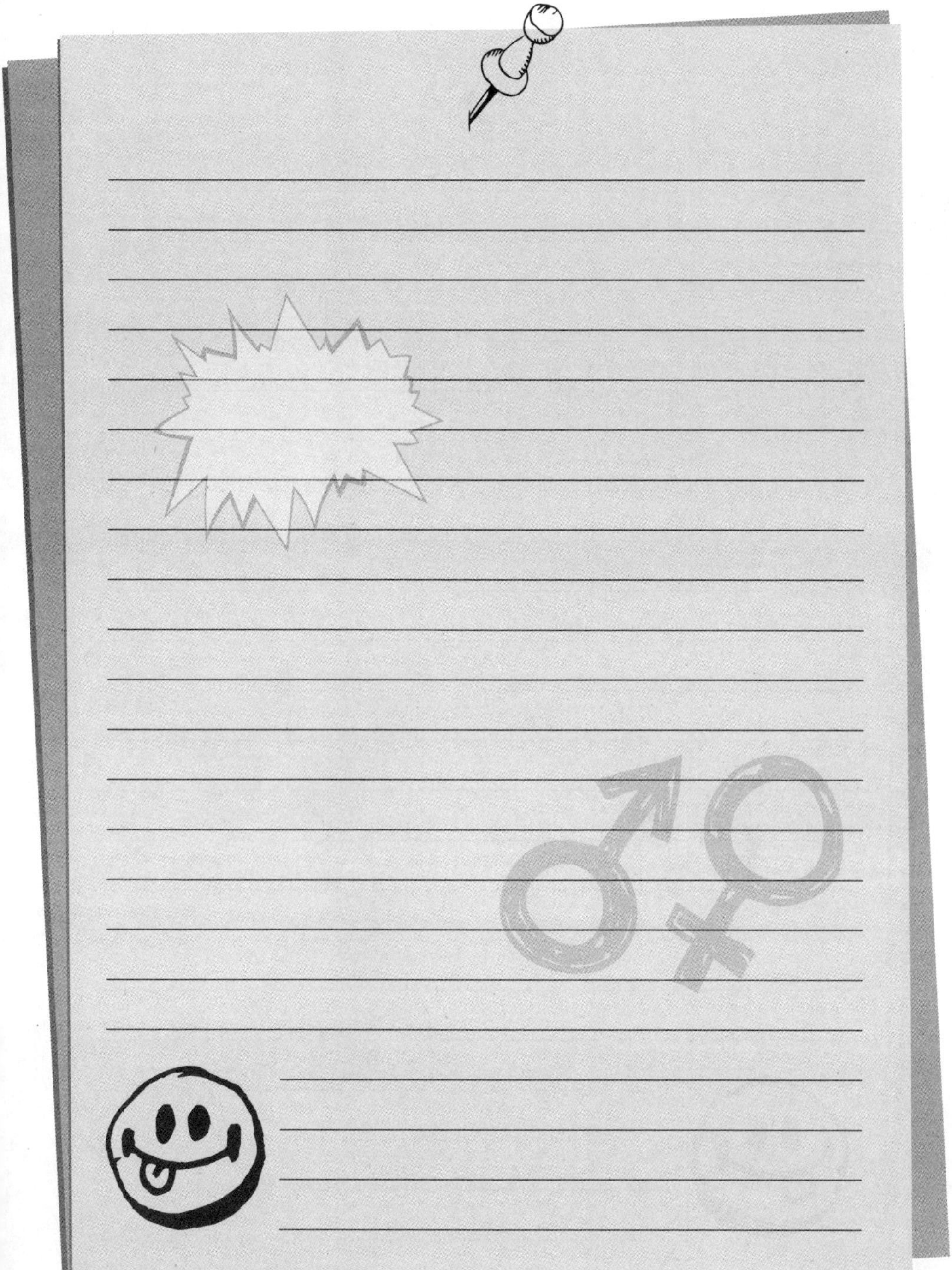